EL NIÑO Y SU MUNDO

EL NIÑO Y SU MUNDO

Descubrir valores a los niños

Susanne Stöcklin-Meier

ONIRO

Título original: *Was im Leben wirklich zählt*
Publicado en alemán por Kösel-Verlag GmbH & Co., München

Traducción de Julia Montflorit

Diseño de cubierta: Valerio Viano

Distribución exclusiva:
Ediciones Paidós Ibérica, S.A.
Mariano Cubí 92 – 08021 Barcelona – España
Editorial Paidós, S.A.I.C.F.
Defensa 599 – 1065 Buenos Aires – Argentina
Editorial Paidós Mexicana, S.A.
Rubén Darío 118, col. Moderna – 03510 México D.F. – México

© 2003 by Kösel-Verlag GmbH & Co., München

© 2004 exclusivo de todas las ediciones en lengua española:
Ediciones Oniro, S.A.
Muntaner 261, 3.º 2.ª – 08021 Barcelona – España
(oniro@edicionesoniro.com – www.edicionesoniro.com)

ISBN: 84-9754-146-4
Depósito legal: B-38.394-2004

Impreso en Hurope, S.L.
Lima, 3 bis – 08030 Barcelona

Impreso en España – *Printed in Spain*

Índice

Preámbulo

Este libro quiere ser una ayuda concreta para todas las personas que viven y trabajan con los niños, y que necesitan descubrir y vivenciar con ellos los valores humanos en la vida cotidiana. En los últimos dos o tres años he sido consultada con creciente frecuencia, tanto a nivel privado como en cursos y congresos, sobre el tema de la educación orientada a dichos valores en la familia y en el jardín de infancia. ¿Qué es lo que estamos haciendo mal? ¿Cómo podría hacerse de otra manera? He discutido con madres, padres, abuelos, educadoras, enseñantes, especialistas en psicología infantil, pedagogos, técnicos en política familiar y, por supuesto, también con los niños. He discutido de lo que realmente cuenta en la vida y de cómo sería posible contrarrestar la frialdad social y el empobrecimiento de las relaciones sociales que hoy prevalecen. Los niños asimilan los valores, no por la vía de las palabras, sino por la del ejemplo. Todos nos hemos planteado la pregunta: ¿de qué manera transmitiremos los valores a los niños en la vida cotidiana?

Para mí, el principio central de la convivencia entre niños y adultos es la *Regla de Oro* establecida por Hans Küng en su Iniciativa para una Ética Global. Este autor remite a un principio existente y de eficacia probada desde hace miles de años en las tradiciones religiosas y éticas de la humanidad: lo que no quieras que te hagan a ti, no se lo hagas tú a nadie. O dicho en términos positivos: *Haz con los demás como quisieras que hiciesen contigo*. Ésa debería ser la norma fija, incondicional, para todos los ámbitos de la vida, para la familia y para todos los colectivos, para las razas, las naciones y las religiones.

El tema presenta muchos aspectos y he intentado dilucidarlo partiendo de distintos puntos de vista, siempre con acompañamiento de numerosos ejemplos prácticos. Sentamos los fundamentos para una conciencia de valores viviendo esos valores a diario con los niños, respetándolos y actuando en común. Se propone también un programa semanal para ayudar a la memoria en el ejercicio concreto.

Mi cordial agradecimiento a las muchas personas, padres, educadoras y niños con quienes he hablado para documentarme. Más especialmente me cumple manifestar mi gratitud a quienes han realizado aportaciones a esta cuestión compleja y de gran actualidad. Gudula Brunner ha mantenido diálogos no exentos de profundidad filosófica con niños de cinco a ocho años de edad, y me ha autorizado a transcribirlos. Esas respuestas nos indican cómo piensan los niños de hoy y nos muestran que tienen un instinto muy fino para la autenticidad y una notable capacidad de expresión. Considero que estas respuestas infantiles han enriquecido mucho el presente libro. Tomémoslo como inspiración y acostumbrémonos a dialogar también con nuestros pequeños en ese plano. Debo muchas sugerencias concretas a Ruth Mayer y Elenore Höchtlen, del Instituto Pedagógico de Munich. En lo tocante a la pedagogía intercultural y el aprendizaje de idiomas, he contado con el material aportado por Inge Rainer. Gracias de todo corazón, también, a la avezada educadora y escritora Maria Caiati y a la terapeuta Monika Sellmayer.

Mi agradecimiento también a todos los que siguieron la convocatoria del boletín profesional *Schweizer Kindergartenblatt* y aportaron sus experiencias en cuanto a la educación orientada a los valores. Heidi Jauslin contribuyó con su experiencia como pedagoga y editora. Las instructoras de Diegten (Suiza) leyeron el manuscrito y lo enriquecieron con sugerencias prácticas. Renate Läderach y Franziska Kehl me explicaron el concepto de «Familia Oso» que utilizan en la guardería del Inselspital de Berna. Christina Gössi ha aportado puntos de vista como directora de grupos lúdicos. Maria Brühlmeier-Baumgartner propuso sugerencias prácticas para la educación orientada a la paz en el jardín de infancia. Desde el punto de vista filosófico, debo varias nociones útiles a una conferencia sobre el tema del cambio de valores pronunciada por la profesora doctora Annemarie Pieper, de Basilea, y también al informe presentado por el profesor doctor Hein Retter sobre la cuestión «Juegos y juguetes en el umbral de una nueva era».

SUSANNE STÖCKLIN-MEIER

Los valores humanos en la educación

Normalmente esperamos que los niños aprendan en el hogar familiar, el jardín de infancia y la escuela eso que se llama, en el sentido más amplio, los valores humanos. La honradez, el afecto a los demás, la capacidad de relación, por ejemplo, o también el respeto a la naturaleza, la responsabilidad, la capacidad para ser felices. Lamentablemente, en la práctica con frecuencia no acaba de resultar del todo.

La cuestión esencial es: ¿cómo formar buenas personas? ¿Qué pueden hacer los padres y los educadores para contrarrestar la brutalidad de la época moderna y el embrutecimiento que cada vez más asiduamente difunden los medios de comunicación? ¿De dónde sacarán las energías, la serenidad y la visión necesarias para restablecer la unidad de la misión pedagógica y formativa?

No existe la alternativa «enseñar» o «formar». Tratándose de los niños, ambos procesos están indisolublemente unidos. A través de ellos, los adultos les transmiten determinados valores mediante su propio ejemplo. Esta parte de la educación no se delega «a terceros». Es incumbencia personal de cada uno. Aristóteles, filósofo de la antigüedad, lo expresó de esta manera:

> **Si quieres cambiar el mundo,
> empieza por cambiarte a ti mismo.**

Los niños aprenden por emulación y, por eso, la influencia de nuestro ejemplo es fundamental, aunque muchas veces no nos damos cuenta de ello. Esto lo tuvo presente la escritora Pearl S. Buck:

> **¿Quieres dejar alguna cosa
> a tus hijos? Déjales un buen ejemplo.**

Todos asistimos permanentemente a la «escuela de la vida». Todos los días, los conceptos que tenemos formados reciben la influencia del entorno social, de las leyes y costumbres que rigen en el país donde vivimos, de las actitudes éticas y religiosas de la familia, de los juicios de la opinión pública. Son los demás humanos, con su ejemplo, quienes nos enseñan a diferenciar entre «el bien» y el «mal», lo «acertado» y lo «equivocado». *Las situaciones vividas ejercen sobre el niño y sobre las nociones que él se va formando un efecto más permanente que los «sermones» mejor intencionados.* Esto lo comprendió hace muchos siglos el filósofo chino Confucio, a quien se atribuye esta sabia reflexión que nos dice cómo aprenden los niños:

> **Cuéntamelo... y lo olvidaré.
> Enséñamelo... y lo recordaré.
> Deja que lo haga yo... y me quedaré con ello.**

Reglas importantes para padres y educadores

◎ Atrevámonos a preguntarnos: ¿Qué cosas considero importantes? ¿Qué debería saber acerca de los valores? ¿Cuáles son los míos? ¿Cuáles espero hallar entre los demás? ¿Qué tienen que ver con mi conducta? ¿Cuántos valores necesita tener una persona? ¿Existe un mínimo de reglas de obligado cumplimiento? ¿Podemos considerar que algunas están superadas? ¿Qué otras son imprescindibles para una convivencia pacífica y humanitaria? ¿Cómo transmitiré los valores de modo que sean comprendidos por los niños?

◎ No nos limitemos a exigir obediencia, expliquemos su necesidad siempre y cuando sea posible.

◎ Establecer límites y sanciones integrándolos en las situaciones positivas, de buen entendimiento.

◎ Estaremos dispuestos a corregirnos, aunque cueste un esfuerzo, a fin de dar un buen ejemplo a los niños.

Los valores cambian en el decurso del tiempo

Hoy día, en nuestro país, cada individuo disfruta de la oportunidad de decidir por sí mismo qué valores quiere adoptar. Históricamente no siempre ha ocurrido así. Durante siglos hubo autoridades que se atribuían la facultad de establecer códigos de conducta para todo el mundo, y vigilaban su cumplimiento. Entre esas instancias figuraban la Iglesia, las autoridades del Estado, la tradición y los usos sociales también llamados «buenas costumbres». Algunos de nuestros valores los hemos heredado de la antigüedad, de los tiempos de Platón y Aristóteles. Por ejemplo, la *valentía*, la *moderación*, la *justicia*, la *amistad* y el *decir la verdad*.

Al filósofo griego Platón se le considera fundador de nuestra filosofía occidental; es el autor del dicho:

> No es deshonra el no saber,
> sino el no querer aprender.

En uno de sus textos, Platón lamenta la falta de valores entre la juventud de su época. Son palabras de tanta actualidad, que parecen escritas por el director de un instituto contemporáneo:

➡ Cuando los padres se habitúan a tener consentidos a sus hijos y les dejan hacer lo que se les antoja sin reprenderlos, y ni siquiera se atreven a hablar en presencia de ellos, o cuando los hijos quieren ser tanto como los padres, es decir, que no los temen ni tienen en cuenta lo que dicen los progenitores, ni aceptan el consejo de ellos, con tal de parecer hombres hechos y derechos, la democracia degenera. En estas condiciones, incluso los maestros tiemblan delante de sus discípulos y prefieren adularlos en vez de llevarlos por el camino recto con mano firme. Con lo cual, los alumnos dejan de respetar a tales maestros, se vuelven rebeldes y no soportan que se les reclame ni un asomo de disciplina. Finalmente, acabarán por no acatar las leyes, puesto que no están enseñados a reconocer ningún amo ni señor. Es el alegre y juvenil comienzo de las tiranías.

En la Edad Media alcanzó gran influencia como filósofo el fraile dominico Tomás de Aquino. Al sistema de valores entonces vigente le añadió las tres virtudes cristianas de la *fe*, la *esperanza* y la *caridad*. De él son las citas siguientes, que todavía me parecen buenas ideas para el trato con los niños:

> La experiencia es el principio
> de la ciencia y de las artes.
> La alegría es la salud del alma.
> El comienzo es la mitad del todo.

Más adelante, el absolutismo agregó la *obediencia incondicional* a la lista de los valores, y la Ilustración propuso la *razón* y el *sentido crítico*. Andando el tiempo cobraron también importancia las llamadas «virtudes burguesas» como el *orden*, la *higiene*, la *laboriosidad*, el *espíritu ahorrativo*, la *puntualidad* y el *cumplimiento del deber*.

En el siglo pasado, la agitación de 1968 introdujo nuevos dinamismos en el panorama de la educación. Se trataba de romper con los preceptos rígidos y las prohibiciones absurdas del pasado. Se quería prescindir del paternalismo innecesario. Aparecen nuevos valores como *solidaridad*, *determinación*, *autonomía* e *igualdad de oportunidades*. Este movimiento echó por la borda los sistemas de educación fosilizados, con sus exageradas nociones de autoridad, orden y disciplina, tipo «la letra con sangre entra». El péndulo osciló entonces hacia el extremo contrario, el de la libertad sin límites y la educación antiautoritaria mal entendida. De todo esto ha resultado una gran desorientación e inseguridad ante los temas de la educación entre los padres y los pedagogos. En la práctica, ni el estilo antiguo ni el moderno proporcionan el resultado deseable. El método antiguo de la pedagogía rutinaria y autoritaria fracasa porque produce, por decirlo de una manera sencilla que todo el mundo pueda entender, personas sumisas y oportunistas, al imponer una adaptación forzada. El método moderno del *laissez faire* sin cortapisas produce pequeños tiranos, niños egoístas y pendencieros que apenas reparan en reglas ni formas sociales de ningún tipo.

Ha llegado la hora de buscar un nuevo término medio, un camino equilibrado para la pedagogía. Los niños precisan una autoridad sólida y, en caso necesario, también unos límites claramente especificados de una vez por todas, al tiempo que toda la libertad necesaria para desarrollarse como seres humanos independientes, creativos y conscientes de sus responsabilidades.

Los niños necesitan reglas y valores

Y los necesitan desde muy temprana edad, según se ha demostrado. Las reglas les sirven de estructura dentro de la cual moverse, aprender jugando, medir sus fuerzas y «escarmentar». Las reglas y los valores dan protección y transmiten seguridad. ¿Por qué? *Porque los límites y las reglas confieren orden y sentido al mundo, ese mundo que contiene tantas cosas que son nuevas y desconocidas para los niños.* Son la referencia permanente. O, por lo menos, que no varíe hasta que se establezcan nuevas reglas de acuerdo entre todos. No hace falta que sean muchas, pero sí que hayan sido muy bien pensadas por parte del educador, para defenderlas y procurar que se cumplan desde la convicción íntima y la coherencia.

Se ha demostrado que los niños criados en un medio delimitado por unas fronteras claras sufren menos temores. Confían más en sí mismos y en lo que les rodea. La dialéctica de enfrentarse diariamente a las normas de la familia y del jardín de infancia, y asumirlas, es una manera positiva de acostumbrarlos a sobrellevar los conflictos. Las nociones de valor adquiridas en esa etapa infantil servirán de fundamento para el futuro edificio de los valores construido por ellos mismos, o su imagen del mundo como podría decirse. Para que salga bien, los padres y los educadores han de mostrarse a la altura del desafío. Teniendo en cuenta la gran diversidad de orientaciones que se ofrecen hoy en cuanto a los valores, importa saber sentar reglas y límites inequívocos, y tener las ideas bien claras uno mismo.

GRANDES CAMBIOS SOCIALES

En muchos casos, los problemas principales de los niños derivan de los extraordinarios cambios producidos en nuestra época. La repercusión de éstos sobre las familias y sus hijos es fundamental, y suele acarrear redefiniciones de muchos valores por efecto, por ejemplo, del paro, o la amenaza del paro, las dificultades económicas, la incertidumbre cara al futuro, junto con otros factores como los divorcios, la falta de comunicación, la familia uniparental, la familia en la que ambos cónyuges trabajan, el desarraigo, el temor a que los pequeños sean víctimas de abusos deshonestos, o de violencias por parte de otros niños, la inseguridad de la educación, etc. La sociedad industrial se ha convertido en sociedad de la información. Vivimos en un entorno configurado por los medios de comunicación, y este ambiente mediático plantea nuevos interrogantes: ¿cuántas horas al día se consentirá que un niño esté sentado delante del televisor?, ¿son perjudiciales los videojuegos?, ¿el ordenador es un juguete?, ¿qué cantidad de escenas violentas soporta un niño?

¿QUÉ COSAS MARCAN A LOS NIÑOS DE HOY?

La presión ha aumentado enormemente en los centros de trabajo y en la vida profesional. Debido a ello, los progenitores llegan a casa tarde y cargados de estrés, lo que suele manifestarse en forma de irritación y falta de tiempo para ocuparse de los hijos. En muchos casos intervienen, además, la incertidumbre en cuanto a los proyectos personales de vida y la indecisión por lo que respecta a la manera «correcta» de educar a los niños. En los últimos cuarenta años ha cambiado mucho nuestra visión del rol de la mujer. Actualmente, la mayoría son madres de familia y trabajadoras o profesionales, pero no es tan fácil ser *superwoman*. En la moderna familia nuclear falta la ayuda de las abuelas y las tías. Los jóvenes a menudo viven aislados y no han aprendido a cuidar bebés. En esa mínima expresión de familia, las madres con frecuencia se sienten solas y desbordadas por las exigencias. En cualquier reunión, sea de la guardería, del jardín de infancia o del grupo de juegos, hay hijos de padres divorciados y de familias «remendadas» varias veces. También las familias uniparentales tienen sus dificultades. En todo el mundo aumentan los trastornos de comportamiento y del lenguaje, así como las alergias infantiles. En cuanto a los niños de más edad, la influencia más determinante es la de sus coetáneos y puede ocurrir que éstos impongan pautas de conducta con las que no esté de acuerdo la familia. Bruno Bettelheim, especialista en psiquiatría infantil, consuela a los padres con este aforismo:

> **No hay padres perfectos
> ni hijos perfectos,
> pero todos los padres pueden
> ser buenos padres.**

LA REALIDAD EXISTENCIAL DE NUESTRAS FAMILIAS

En muchos casos esa realidad, lamentablemente, está caracterizada por unas viviendas sin jardines ni patios traseros donde jugar. El entorno es hostil y los niños no pueden explorarlo solos. Todo esto implica una fuerte limitación de las posibilidades de experimentación y movimiento, además de los peligros de la circulación en las calles. Pero la jornada normal de una criatura debería incluir el juego y el ejercicio al aire libre, por lo que si esto falta es preciso recurrir a sucedáneos como los juegos en plazas y parques públicos y las salidas a la playa, así como a parques naturales y bosques.

Cada vez más, los niños tienen el tiempo cuadriculado. En vez de espacios libres para que jueguen a su aire, se desahoguen o dormiten, les damos horarios para acudir al centro de fitness y para clases de música o de ballet.

¿Decadencia de los valores? ¿Pérdida de valores?

Se habla mucho de la decadencia o la desaparición de los valores. Sin embargo, es inexacto decir que los valores desaparecen. Nos gusten o no, siempre están ahí. Otra cosa es preguntarse cuáles de ellos juzgamos deseables o convenientes, y establecer una jerarquía entre ellos. El ser humano establece prioridades y procura realizar aquello que más le gusta. Según sus puntos de vista, apreciará más unos valores que otros. Pensemos por ejemplo en la libertad, la verdad, la paz, la justicia y el amor. Estas cosas siempre han sido importantes para los humanos, y continúan siéndolo. Pero sucede lo mismo con la riqueza, el poder y la fama. También la afición a «bailar alrededor del becerro de oro» es antigua y arraigada.

A menudo, un valor reemplaza a otro en detrimento de éste. De este modo las nociones en los últimos años se han desplazado mucho, pero, por desgracia, siempre en el sentido de conceder más importancia al dinero, al poder, a la influencia ejercida a través de los medios y a la violencia. Lo ideal, lo espiritual, lo intelectual y lo visionario se baten en retirada, al menos por ahora. La dignidad humana queda pisoteada por quienes priorizan el poder y los valores materiales. El Mahatma Gandhi, sabio hindú, predijo las desgracias que acarrearían «los venideros pecados sociales de la humanidad», y que según este pensador serían:

> Política sin principios
> Negocios sin moralidad
> Riqueza sin trabajar
> Educación sin carácter
> Ciencia sin humanidad
> Placer sin conciencia

EL DINERO CONVERTIDO EN EL VALOR POR ANTONOMASIA

Cuando el dinero pasa a constituir el valor máximo así en la economía como en la vida privada, el resultado es un *materialismo* absoluto que domina todas las nociones de valor. Pese a la gran diversidad y múltiples dimensiones de los valores, en el mundo contemporáneo muchas personas sólo conocen uno, el beneficio. Este concepto de valor ha quedado desprovisto de su perfil moral y democrático, y se aplica únicamente a los objetos medibles confundiéndolo con el lucro, de manera que sólo vemos valor en aquello que nos aventaja personalmente. Como es evidente, en estas condiciones el valor supremo es el dinero, en tanto que medio con el cual creemos poder adquirir todo lo demás. En resumen, el dinero es poder y mueve el mundo. De lo que resulta un gran egoísmo, y el abandono de la atención al semejante, la solidaridad y la humanidad.

OBSERVADO EN EL AUTOBÚS

He aquí un ejemplo de cómo los niños asumen también las pautas de valor que giran alrededor del dinero:

Una anciana que anda con muletas sube visiblemente fatigada. El autobús va completo. Cerca de la puerta está sentada una niña. La anciana se dirige a la niña y le pregunta:

—¿Quieres cederme el asiento?

—¡Ni hablar! —replica la criatura, y agrega con impertinencia—: ¡Yo he pagado igual que usted!

Entonces, una mujer joven cede el asiento a la anciana de las muletas, y volviéndose hacia la niña dice:

—Yo también he pagado, lo mismo que tú, pero le cedo el asiento a esta señora porque lo necesita más que yo.

TODO NO SE COMPRA CON DINERO

Encontré esta poesía, probablemente de origen popular, sobre el valor del dinero, en un libro de autor guatemalteco anónimo. Quizá sirva para que niños y mayores reflexionen sobre lo útil y lo absurdo del dinero. Éste no es ni bueno ni malo de por sí. Todo depende de la manera de emplearlo. El poema nos enseña que se puede comprar con dinero:

> Una cama, pero no el sueño.
> Unos libros, pero no la inteligencia.
> La comida, pero no el apetito.
> Unos adornos, pero no la belleza.
> Casas, pero no una vecindad.
> Medicinas, pero no la salud.
> Objetos de lujo, pero no unos amigos.
> Cualquier cosa, menos la felicidad:
> hasta una iglesia, ¡pero nunca el cielo!

DESPUÉS DEL 11 DE SEPTIEMBRE

Aparte de las noticias espantosas que nos llegan a través de todos los medios de comunicación, afortunadamente vemos que empieza a perfilarse un movimiento contrario, una especie de reacción: se destapan escándalos, se rectifican líneas políticas, se habla otra vez de los valores y de su definición. A lo que parece, se ha abierto un período de reflexión pública y privada. Muchas cosas han cambiado después de los atentados terroristas del 11 de septiembre de 2001 en Nueva York y Washington, y de las catastróficas inundaciones del año 2002 en Europa. Después del espanto, de los padecimientos y del terror, se ha suscitado *una gran oleada de solidaridad* entre las personas. En los tiempos que corren, es de especial importancia que los padres y los educadores tengamos en cuenta valores fundamentales vivos, que merezcan confianza. De ahí que sea necesaria la reflexión sobre cuáles de ellos deseamos ejemplificar, para fomentarlos tanto en el seno de la familia como en el jardín de infancia. Una vez hayamos asimilado bien estos valores, estaremos en condiciones de transmitirlos.

En las edades preescolares, los pequeños son especialmente receptivos. Adquieren inconscientemente las pautas que ven y las emulan. Hasta los siete años contaremos con muchas ocasiones que nos permitirán dejarles un bagaje para toda la vida. Los valores básicos para un sistema común son:

> Decir la verdad
> Obrar con justicia
> Convivencia pacífica
> Cariño
> No violencia

Son valores humanos y, al mismo tiempo, los pilares básicos de la democracia. Es decir, que nos ayudan a vivir y relacionarnos con los otros, tanto en lo particular como en lo público. Horst-Eberhard Richter, psicoanalista y autor de ensayos, comenta así ese mundo de valores compartidos que nos aúna a todos: «Cualquier ser humano, con independencia de la religión que profese, comparte con sus semejantes un acervo común de normas éticas o, como tal vez preferiríamos decir hoy, un sistema común de valores».

Los valores y su trasfondo espiritual

En su origen, las nociones de valor siempre han tenido un trasfondo espiritual. Son las que dan sentido a la vida del hombre. El gran científico y descubridor de la teoría de la relatividad Albert Einstein opina:

> El que no encuentra sentido a la vida,
> no sólo es desgraciado,
> sino que apenas vale para vivir.

A este sentido, a esta orientación superior, durante muchos siglos los humanos le han puesto el nombre de «Dios».

Los niños de hoy, ¿tienen todavía un concepto de quién o qué es Dios? Ante el repliegue de la religiosidad en nuestra época, conviene no darlo por sobreentendido sin más.

LOS VALORES AUSENTES SE SUSTITUYEN POR OTROS

Nuestros actos, sentimientos, palabras y pensamientos influyen sobre los niños, tanto si nos lo proponemos como si no. Aunque los valores humanos se viven sin que tengamos conciencia de ello y no se transmiten de una forma deliberada, esto ocurre de todas maneras.

Los adultos tienden a establecer un sistema de valores para sí mismos y otro diferente para los pequeños. Esto sucede tanto en la familia como en el jardín de infancia y en la escuela. Pero el doble rasero desorienta a los niños y confunde sus nociones.

SUGERENCIAS PARA LA PRÁCTICA

◉ Cuando el niño descuelga el auricular del teléfono y le advertimos «dile a quien sea que no estoy en casa», al mismo tiempo le enseñamos que es normal o admisible mentir.

◉ Los padres discuten a voces en presencia de los pequeños, pero luego quieren que éstos resuelvan pacíficamente sus diferencias. Los niños aprenden esto: «Cuando sea mayor podré chillar y pelearme. Los niños deben hacer ver que se llevan bien».

◉ ¿Qué pasa cuando los padres riñen a la criatura: «Si vuelves a pegarle a tu hermano, ¡te doy un cachete!». Estas amenazas van contra la norma familiar «aquí no se pega». El niño aprende que el más fuerte tiene el privilegio de ejercer la violencia física.

◉ ¿Los padres economizan o desperdician, por ejemplo, la comida? Los niños no dejan de darse cuenta. ¿Se come siempre el pan, o las sobras se arrojan al cubo de la basura? ¿Dejan que los alimentos se llenen de moho en el frigorífico y que se estropee la leche? El niño aprende que está viviendo en una sociedad de despilfarro, lo mismo para la comida que para todo lo demás.

¿Qué les sugiere a los niños la palabra «Dios»?

Se ha realizado una encuesta entre niños de cuatro a ocho años de edad. ¿Cómo conciben los niños y las niñas de hoy ese símbolo inaprehensible? He aquí sus filosóficas contestaciones.

Dios es el todo.

Dios existe, de lo contrario no habría tristeza ni alegría,
ni sueños, ni seres humanos.

Todo el cielo se mueve de aquí para allá porque
Dios es el cielo entero.

Dios es hombre y mujer y niño porque es todo.

Él envía la luz del Sol desde arriba y hace que se ponga
el Sol al anochecer y entonces pone la Luna en el cielo,
y el Sol la ilumina por detrás.

Él cuida de los humanos para que no haya guerras
y terremotos.

No puede bajar del cielo porque flota en el aire, por eso
en realidad no puede impedir que haya terremotos.

Se le puede ver en sueños pero normalmente no.

Ayer fuimos a la iglesia. Pero el señor Dios no estaba allí,
aunque una mujer hablaba con él como si estuviera.

◎ Si queremos crear en ellos una conciencia medioambiental, no vale gastar todos los días centenares de litros de agua. En una familia numerosa, la diferencia entre ducharse o bañarse todos, uno a uno y volviendo a llenar la bañera cada vez, llega a ser enorme.

◎ Los niños observan cómo tratan los adultos a las plantas. ¿Olvidan regarlas hasta que se agostan, o las inundan hasta pudrirlas, o consiguen que vivan muchos años en la casa? De ello depende que lleguen o no a la conclusión de que el amor a la naturaleza no es más que palabrería para «quedar bien».

◎ ¿Cómo hablan los mayores de los vecinos cuando éstos no están presentes, y cómo lo hacen cuando sí están? De esto depende el aprendizaje de la hipocresía.

Los cinco valores fundamentales

El árbol de los valores

Me gusta imaginar los valores humanos principales: la verdad, la justicia, la paz, el afecto y la no violencia, en la forma de un árbol frondoso. Esos cinco valores fundamentales son las raíces, el tronco y las ramas. En la copa se despliegan y ramifican los aspectos parciales de los valores. Muchas veces me pongo al amparo de ese árbol, simbólicamente hablando. Su sombra me refresca, contemplo cómo la brisa agita las hojas, escucho piar los pájaros, y así repongo mis fuerzas. Para mí es un lugar de sosiego, donde escucho mis voces interiores e intento averiguar quién soy, de dónde vengo y qué es lo que quiero. Bajo el árbol de los valores también hay ocasión de reunirse con la familia y los amigos, de contar anécdotas, de escuchar música y cantar, bailar o banquetear juntos.

Estos cinco valores humanos son necesidades éticas para todos, adultos o pequeños. Constituyen una buena base para la convivencia. Los mismos valores rigen también fuera del ámbito familiar.

A cada uno de ellos dedicaremos un capítulo en las páginas que siguen. Cuando tratamos de imaginar cómo viviremos los valores «verdad», «amor» o «paz» en la vida cotidiana, casi dan ganas de salir corriendo. Expuestos así, en toda su generalidad, son conceptos tan amplios que parecen inabarcables. Pero si los descomponemos en sus pequeños aspectos, el planteamiento parece mucho más fácil. También los comparo a un caleidoscopio. Cuando miro y hago girar el tubo, los cristalitos de diferentes colores se reagrupan y dan imágenes siempre nuevas. Por eso, cada capítulo contiene una lista de palabras que son otros tantos aspectos del tema tratado. En el apartado del amor pueden contemplarse a veces la cordialidad, la caridad, el afecto, la ternura, la amabilidad, la compasión o la amistad. El apego a la verdad tal vez puede contemplarse bajo el aspecto del realismo, la valentía, la honradez o la capacidad de distinguir racionalmente. La paz, en la vida cotidiana, puede significar reconciliación, sosiego interior, paciencia, satisfacción o mutua comprensión.

Construyamos con los niños nuestras propias listas para esos cinco valores básicos. A lo mejor, para ellos amor es «hacerse mimos», o «achucharse», y paz «darse las manos», o «reírse juntos». A menudo, los niños recuerdan mejor los valores cuando se les ofrecen en forma de pares contrapuestos, como:

> verdad y mentira
> bueno y malo
> verdadero y falso
> cariñoso y grosero
> odioso y amable
> reñir y elogiar
> buenas maneras y modales
> impresentables

En el juego de rol, en la conversación y mientras dibujan, son capaces de representar estas antinomias de una manera intuitiva. Contemplamos con ellos las imágenes de un libro ilustrado y les formulamos preguntas relacionadas con los valores, por ejemplo:

- ◎ «¿Qué opinas? ¿Lo que dice este cuento es mentira o es verdad?»
- ◎ «¿Crees que este chico trata con cariño a su perro, o lo maltrata?»
- ◎ «¿Te parece que estas personas se hablan con amabilidad, o están siendo groseras?»
- ◎ «Crees que el gatito está contento aquí, o está a disgusto?»

TARJETA EN LA MACETA

Antes de pasar a hablar de los valores con más detalle (capítulo siguiente), he aquí un par de sugerencias sobre cómo abordar los conceptos básicos. Escribimos éstos y los aspectos que nos parezcan importantes en unas tarjetas de diferentes colores. Por ejemplo, todo lo relacionado con el amor en tarjetas rojas. La verdad, sobre amarillo. La paz, sobre azul celeste... Esas tarjetas nos darán la consigna para el día o para la semana, el asunto al que dedicaremos nuestra atención.

Los conceptos también pueden adornarse con símbolos. Quizá los niños quieran ayudarnos a dibujarlos. Previamente comentaremos con ellos lo que significan, y trataremos de determinar a partir del cambio de impresiones con los pequeños filósofos qué símbolos les parecen más adecuados: la paloma de la paz, por ejemplo, o un ave del paraíso, o unas manos que se estrechan. Para el amor, un corazón «sonriente» o un hombrecillo con el corazón visible. ¿Qué dibujaríamos para representar la verdad? ¡La imaginación de los niños nunca deja de sorprendernos! A lo mejor no querrán limitarse a dibujar unas tarjetas. Quizá deseen crear un gran cartel pegando dibujos recortados, o pintarán un gran cuadro colectivo.

Por ejemplo, podemos colocar las tarjetas en una maceta vacía, todas juntas o las de un color determinado. Todas las mañanas se extrae una tarjeta, y la palabra que lleve escrita será la consigna del día. Durante la jornada veremos cómo sale a nuestro encuentro esa cualidad, por ejemplo «valentía», «sosiego interior», «paciencia» o «amor» y qué aplicaciones encontramos para ella. ¿Tal vez idear un juego para los niños? ¿Tenemos un libro ilustrado, unos versos o una canción infantil sobre el tema? El dorso de la tarjeta sirve para tomar nota de esas observaciones.

Supongamos que el tema de la paz está de actualidad en nuestra familia, en el grupo de juegos o en el jardín de infancia. Colgamos nuestros carteles hechos en común usando pinzas de la ropa y una cuerda a modo de tendedero. Lo cual nos recordará el tema ópticamente. En cualquier momento, sin embargo, dicho tema puede cambiarse, modificarse, complementarse o redecorarse.

Todos los días tendremos una breve conversación. Que cada uno cuente cómo le ha ido el día por lo que concierne a la paz, disputas, enfados y reconciliaciones. ¿Me han gritado? ¿Me han reñido? ¿Qué hicimos para poner fin a la discusión? ¿He sabido entender el punto de vista del otro? *La regla básica de la ronda de conversación es: cuando uno habla, los demás escuchan y no interrumpen. Sin comentarios ni rectificaciones. Así todos tendrán la sensación de ser tomados en serio.*

Las tarjetas, la maceta, el tendedero de los carteles, la reunión para hablar, son instrumentos auxiliares preciosos para todos nosotros, a fin de vivir todos los días los valores humanos de una manera consciente y de integrarlos.

La verdad

Todo ser humano tiene derecho a conocer la verdad y a decirla. Y todas las grandes tradiciones religiosas y éticas han inscrito la verdad en sus banderas. Sin embargo, la mentira, la falsificación y la manipulación son tan antiguas como la humanidad misma. Por eso encontramos en el Antiguo Testamento la prohibición «no mentirás». *Si queremos un mundo justo, tendremos que aprender a ser verídicos.* Hacerlo nosotros mismos, en el seno de la familia, sirve para empezar. Un proverbio hindú describe así la ley de la verdad:

> Vivir la verdad significa:
> reconocerla y proclamarla,
> no con fanatismo ciego
> sino con fuerza de convicción
> y con el ejemplo de la bondad.

La verdad se nos revela de muchas maneras. Podemos tratar de realizarla paso a paso en nuestra vida cotidiana. Como la verdad y la mentira muchas veces conviven muy cerca la una de la otra, tendremos ocasiones sobradas para practicar. En un estudio reciente, el psicólogo Robert Feldman, de la Universidad de Massachusetts, ha determinado que en cada conversación, aunque sea breve, casi todo el mundo miente por lo menos dos o tres veces. Preguntémonos qué relación tenemos con la verdad, y qué es lo que pensamos exigir a nuestros hijos. Para aproximarnos a ese valor, empecemos por estudiar varias formas de la verdad a través de nociones como:

Realismo

Realismo

◈

Franqueza

Franqueza

◈

Discernimiento

Discernimiento

◈

Honradez

Honradez

◈

Credibilidad

Credibilidad

◈

Valentía

Valentía

◈

Afán de saber

Afán de saber

◈

Sinceridad

Sinceridad

¿Qué es la verdad para los niños de tres a ocho años?

Desde los comienzos de la socialización, los niños desarollan el sentido de lo auténtico y verdadero, y cuando se les finge o se trata de engañarles lo intuyen con fina sensibilidad. El niño es capaz de saltar sin dificultad entre la realidad y las imaginarias islas de su fantasía. He aquí, desde la perspectiva infantil, algunas respuestas a la pregunta «¿qué quiere decir para ti la "verdad"?»:

Verdad es decir lo que es.

❄

Verdad es hacer las cosas bien y no mal.

❄

Mi amiguita Francis siempre dice la verdad.

¿Verdad o mentira?

Para los niños, según todos los indicios, estos dos conceptos van estrechamente asociados. Cuando les preguntamos o les hablamos acerca de la verdad, enseguida salta el comentario sobre las mentiras y el hábito de mentir. Ni que decir tiene que todos mienten. Eso forma parte del desarrollo natural y sano. Más tarde aprenderán a distinguir entre la mentira y la verdad. El disimulo y el embuste obedecen a muy diversos motivos.

● *Confusión entre la realidad y la fantasía* Entre los dos y los cuatro años de edad, la mayoría de los niños pasan por una fase de desarrollo desbordado de la imaginación. A estas edades les resulta difícil separar la realidad de la fantasía. En su imaginación pintan lo que les gustaría que ocurriese o cómo deberían ser las cosas, y durante un rato creen lo que están describiendo. Eso es muy diferente de mentir adrede; podríamos describirlo como riqueza de ideas.

—En mi cuarto tengo un león de oro que sólo habla conmigo, y pasamos muy buenos ratos jugando.

● **La mentira como ensoñación y necesidad de darse importancia** Con frecuencia las mentiras son expresión del soñar despierto. El niño necesita sentirse un personaje importante:

—Mi padre es capitán de aviación y pilota un reactor.

● **Echarse faroles** Pertenece también a la categoría de lo fantástico.

—Los gnomos me ayudarán a recoger los juguetes.

—Con mi delfín voy surcando los mares.

● **Hacer trampas** El niño quiere sacar una ventaja, por ejemplo mientras juega a cartas o al parchís:

—Se me cayó el dado al suelo, pero, ¡mira!, ha salido el seis.

● **Mentir por miedo a recibir un castigo** Es muy corriente:

—Yo no he roto el jarrón, ha sido Pedrito que me empujó.

—Yo no he sido, ha sido el gato el que se ha comido el pastel.

● **Mentir para ver cómo resulta** A veces mienten para comprobar el alcance de la credulidad o la indulgencia de los mayores. Es una variante o táctica complementaria del echarse faroles:

—Me he comido diez salchichas en la fiesta del cumpleaños de Pedrito.

—La maestra siempre me felicita más que a los demás compañeros.

◉ Mentir por pereza

—Que no, que ya me he lavado las manos hace un momento.

Así deben reaccionar los padres

Cuando atrapan al pequeño diciendo una mentira, los progenitores se enfadan y generalmente sufren una gran decepción. Dicen: «Nos ha mentido descaradamente, ¿cómo podremos confiar en él nunca más?». Sí se puede, porque mentir es absolutamente normal y ocurre a todas las edades. Pero hay mentiras y mentiras, en función de la edad, la ocasión y el motivo. Teniendo esto en cuenta, las reacciones de los padres deben ser matizadas y adaptadas a las circunstancias.

¿Está permitido mentir? A esta pregunta podemos contestar tranquilamente con un no rotundo. El niño atrapado en una mentira se siente como acorralado, con la consiguiente sensación de malestar. Exactamente como lo haría una persona adulta, acude a toda clase de subterfugios y explicaciones para tratar de salirse de la situación. Con frecuencia, las mentiras de los niños irritan mucho a los padres y éstos reaccionan de una manera exagerada.

No hay motivo para perder el comedimiento. Para la mayoría de los niños, ver que se les ha «pillado» la mentira es castigo suficiente. Ningún niño quiere que sus padres se enfaden con él.

La reacción de los progenitores debe guardar proporción con la importancia de la mentira. Una mirada o unas palabras dichas con cierta entonación darán a entender nuestro desagrado. En los casos más graves puede ser útil anunciar un castigo:

—Esta noche te vas a la cama sin escuchar el cuento.

—Te quedas sin ver tus dibujos favoritos.

—En castigo, no hay postre.

Son más eficaces los castigos relacionados de algún modo con la mentira que se ha dicho. Por ejemplo, si la criatura se ha paseado en bicicleta sin ponerse el casco y, para colmo, niega esa circunstancia, la castigamos dos días sin bicicleta y le explicamos que el primer día es por no ponerse el casco, y el segundo por decir una mentira.

Si el pequeño admite su culpa, hay que premiarlo por haber tenido el valor de decir la verdad. En cualquier caso, el castigo se le «reduce» y comentaremos con él cómo solucionar juntos el problema. La decisión en cuanto a las consecuencias se toma de común acuerdo.

LOS PADRES DEBEN SER COHERENTES

En cuestiones de verdad y mentira los niños se rigen mucho por el ejemplo de los padres.

Por tanto, éstos tendrán buen cuidado de no prometer sino lo que puedan cumplir.

—Cuando te hayas secado con la toalla te leeré un cuento.

Antes de decirlo conviene saber si tendremos tiempo suficiente.

—El domingo que viene iremos todos al museo.

Si lo hemos dicho, será mejor que esa visita al museo tenga lugar realmente.

Nunca mentirles por comodidad de los adultos, ni para contemporizar.

—La inyección del doctor no duele.

—Salgo un momento, pero volveré enseguida —cuando nos consta que vamos a tardar varias horas.

—Eso te lo dije porque eras muy pequeño y entonces no podías entenderlo bien.

Que las respuestas sean verídicas incluso cuando haya que adaptarlas a la comprensión infantil.

Nunca inducirlos a mentir.

—No hace falta que le digas a la abuela que nos hemos comprado una cortacésped nueva.

—Contesta al teléfono y dile a quien sea que papá no está en casa.

—No le digas a nadie que nos vamos de vacaciones el sábado que viene.

SI COMETES UN ERROR, DISCÚLPATE

Eso también forma parte del amor a la verdad: si uno se ha equivocado, reconocerlo y pedir perdón. Actuar así no perjudica al prestigio de los progenitores, si resulta que el niño tenía razón y nosotros partíamos de unos presupuestos erróneos.

La sinceridad tiene prioridad en el ámbito de la educación

Durante un curso de formación en Munich les hice a las educadoras la pregunta siguiente: ¿Qué valores consideran ustedes más importantes para su trabajo? Ellas coincidieron en la importancia de compartir objetivos y nociones de valor para un buen trabajo en equipo. Obviamente, para que eso sea posible debe producirse un intercambio. Fundamentalmente, hay que plantearse las preguntas siguientes: ¿A qué valores atribuyo más importancia? ¿Cuáles desearía hallar en otras personas? ¿Cómo introducirlos en el grupo? Como queda dicho, para averiguarlo hay que intercambiar ideas de manera habitual, y es necesario que todas y todos puedan hablar libremente en el grupo, sin que nadie interrumpa ni haga comentarios sobre las declaraciones de otro. Por último, se elabora una definición del objetivo común destinado a ser puesto en práctica. En aquel curso, lo más interesante fue la coincidencia de todas las educadoras consultadas en cuanto a los valores que juzgaban más deseables para sí mismas y para las demás. Éstas fueron sus preferencias:

Sinceridad - responsabilidad personal - respeto mutuo y consideración - tolerancia - paz y amor - autonomía de acción - trato mutuo amistoso y en confianza - discusión de conflictos en común, sin violencias.

El estadista Otto von Bismarck dijo con razón:

> **La confianza es una planta delicada.**
> **Si se mustia, difícilmente la resucitaremos.**

LA «PIEDRA DEL VALOR» Y EL VALOR
PARA DECIR LA VERDAD

A nuestro hijo le regalaremos una piedra del valor para que se anime a decir la verdad incluso en circunstancias difíciles. A los niños les gusta tener y coleccionar piedras, sobre todo las que son de aspecto vistoso. Por eso la «piedra del valor» es un amuleto muy adecuado para los niños de cuatro a ocho años de edad. Ellos todavía encuentran la «magia» en todas las cosas y les parece normal que un mineral pueda ayudarlos a decir la verdad. Buscaremos, por ejemplo, una piedra semipreciosa pulida, cuyo tacto sea agradable a la mano y pueda llevarse sin inconveniente en el bolsillo, ¡mejor todavía si es de un color llamativo, fuera de lo común! La rodonita, por ejemplo, un silicato de color rosa con pintas negras.

—Cuando cojas esta piedra con la mano, no tendrás más remedio que decir la verdad.

Y más adelante, cuando tengamos la impresión de que la criatura trata de engañarnos, le diremos:

—A ver, saca la piedra del valor, ¡y ahora me contarás lo que ocurrió en realidad!

El afán de saber en la edad de las preguntas

Es la etapa que coincide con los tres o cuatro años de edad. Los niños quieren saberlo todo, y agobian a preguntas de la mañana a la noche a cuantos les rodean: «¿Qué es esto? ¿Por qué? ¿Por qué? ¿Por qué?». Es un fenómeno maravilloso, aunque a veces nos ponga de los nervios. Con sus preguntas incesantes, ellos se abren camino hacia la verdad. Aprenden a conocer cómo unas cosas derivan de otras, a comprender la relación entre las causas y los efectos. Por eso las contestaciones deben adaptarse al entendimiento de la criatura según su desarrollo, sin tratar de dar explicaciones exhaustivas, pero conteniendo siempre el grano de la verdad. Ellos todavía no precisan de respuestas científicamente exactas. Eso les llegará más adelante, en la edad escolar. Por otra parte, muchas veces las preguntas de los niños van más allá de la realidad material, o como dice un proverbio italiano:

> En el ¿por qué? de los niños
> reside el comienzo de la filosofía.

¿Qué es mentir para Isabel y Sofía?

Isabel y Sofía, hermanas de cinco y ocho años de edad, hablan de la mentira con la abuela, y han llegado a las conclusiones siguientes:

Mentir significa decir algo que no es realidad.

Si no tengo un gato en casa pero digo que lo tengo,
entonces eso es una mentira.

Alí dice que tiene mucho dinero, pero no tiene.
Es un mentiroso.

Ana decía que era amiga mía, pero ahora
no quiere jugar conmigo.

Papá miente a veces. Se come nuestras patatas chips
y luego dice que él no ha sido.

Papá prometió acompañarnos a la piscina y luego
se entretuvo arreglando una máquina y no pudo, y tuvimos
que quedarnos en casa.

Verónica asegura que tiene muchas amigas, ¡más de once!
Pero no es verdad, sólo tiene dos o tres.

He aquí algunos ejemplos de preguntas infantiles y de posibles respuestas adecuadas a la comprensión de los niños. Tal vez sirvan para dar pie a alguna conversación interesante:

—¿Abuelo, por qué quieren que vaya a verte?
—Porque así tengo con quien jugar.

—¿Por qué está la luna en el cielo?

—Para que la noche no sea tan oscura.

—¿Por qué son verdes las hojas?

—Porque estamos en verano.

—¿Por qué vuelan los pájaros?

—Porque van a buscar comida.

—¿Por qué llora la ambulancia?

—No llora, lleva enfermos a la clínica para que los cure el doctor.

—¿Por qué quema la placa de la cocina?

—Porque la he conectado para hervir unos fideos.

El pequeño científico

La sana curiosidad impulsa a los pequeños descubridores que con su innato afán de saber quieren averiguar los «cómo, qué, quién, cuándo, dónde» de todas las cosas. A menudo, esta curiosidad y sus consecuencias se soportan con dificultad por parte de los padres. ¡Y sin embargo, es bueno que tengan esa cualidad! Por tanto, no debemos ponernos nerviosos, sino tomárnoslo con sentido del humor, aunque a veces la curiosidad del pequeño se manifieste en un lugar inoportuno o con los objetos menos adecuados. La curiosidad los incita a aprender, y así van conociendo el mundo que los rodea y acercándose a la verdad. El niño que le abre la barriga a su osito de felpa no lo hace por mala voluntad, sino porque quiere ver lo que contiene; lo mismo sucede con la niña que descompone el temporizador del horno de la cocina o desmonta la balanza porque le llama la atención el «mecanismo».

Los niños quieren averiguar cuánto tarda en hundirse un barquito de papel cargado de guijarros. ¿Qué se necesita para echar a volar una cometa? ¿Quién acertará a proyectar un rayo de sol sobre la pared con ayuda de un espejito? ¿Quién sabe mezclar acuarelas? ¿Quién sabe en qué lugar del cielo está la Osa Mayor? Infinitas preguntas, mediante las cuales el afán de saber infantil trata de acercarse a la realidad.

La fantasía y las verdades interiores

Entre los tres y los seis años de edad, los niños viven en un mundo fantástico: es lo que se llama *la fase mágica*. Para ellos hay cosas invisibles que sin embargo son reales. Todo lo que se mueve vive y tiene alma. Por eso, para ellos los animales, el viento y el agua hablan como los humanos, un perro se convierte en un león y una cortina en un fantasma. En el perfume de las flores flotan los elfos y entre las nudosas raíces de las encinas viven los enanitos. Cuando los niños parlotean a ese nivel tampoco están diciendo mentiras, sino verdades interiores. Éstas obedecen a las leyes de la fantasía, de la imaginería interna y de los sueños. El pequeño expresa aquello que compone sus vivencias infantiles. Por ejemplo, cuando dibujan, lo que les importa mucho aparece de tamaño más grande que lo que consideran secundario. A la mentalidad racional del adulto, nuchas veces le resulta difícil comprender ese mundo fantástico de los niños y se impacientan creyendo que son unos mentirosos. Sin embargo, el juego y la fantasía son elementos vitales para ellos. El artista se halla más próximo a la mente infantil, como lo expresa esta bella cita de Jean Paul:

> **Dale al niño una rama desnuda
> y su imaginación la cubrirá de rosas.**

VIAJE POR LOS CIELOS

He aquí un bellísimo ejemplo de historia fantástica contada por Teresa. Al final, añade incluso una interpretación infantil acerca de cómo Teresa entró en el vientre de su madre. En este momento, sería equivocado tratar de corregir a la niña con una explicación científica de la fecundación. Ella llevaba varios días jugando al «viaje por el cielo» y cuando le preguntaron el porqué, Teresa contó el cuento siguiente:

—En el cielo está el país de las maravillas con el castillo encantado, que tiene unas vistas estupendas. Puedes dormir sobre las nubes y volverte invisible. En el país de las maravillas no hay guerras porque es un país único, y tampoco hay mosquitos. En el castillo encantado le hablas a la pared pidiendo lo que quieres, y se cumple enseguida. ¿Que cómo lo sé? Pues porque vengo de allí. Estuve en el país de las maravillas y además hablo el idioma.

Teresa sigue contando:

—Antes estuve en el fondo del mar y recogí estrellas de mar. Luego fui al cielo y dejé colgadas todas las estrellas. En el camino hacia el cielo hay un almacén de joyas y te regalan collares, anillos, piedras preciosas y refrescos. Te los dan gratis. Entre nosotros en la tierra no hay nada que sea gratis. Desde el cielo continué mi camino hacia el mundo de arriba. En el mundo de abajo muchos mueren pronto porque hay tantas guerras. Yo no quería ir. Más tarde entré dentro de mamá y con una pala hice un agujero en la barriga de mamá para mirar afuera.

La fantasía está en la cabeza

Las definiciones de «fantasía» según los niños de tres a seis años son asombrosas. Por lo visto, intuyen que la fantasía y la creatividad son algo especial que no se puede medir ni tocar en términos reales y que, sin embargo, existe verdaderamente. Esto es lo que han dicho algunos niños al preguntarles «¿qué es la fantasía?»:

La fantasía está en la cabeza
y empieza cuando venimos al mundo.

❊

Los niños tienen más fantasía que las personas mayores.

❊

Las personas mayores tienen menos fantasía.
El abuelo y la abuela no tienen.

❊

Cuando te mueres, la fantasía se va,
y a lo mejor tiene un bebé.

❊

Los cavernícolas ya tenían fantasía.

❊

Los habitantes de África tienen la fantasía distinta
que nosotros y hablan de otra manera.

ENSOÑACIONES Y MUNDO REAL

De vez en cuando hallamos niños que desde nuestro punto de vista están demasiado absortos en sus mundos de fantasía. A los cinco o seis años de edad, la mayoría son capaces de distinguir entre imaginación y realidad. Pero los soñadores continúan con sus ensoñaciones y resulta difícil entrar en contac-

Fantasía es cuando dibujas un animal con cabeza
de león y espalda de jirafa.

❊

Todas las personas no tienen la misma fantasía,
¡sería muy aburrido!

❊

Cuando duermes no tienes tanta fantasía.
Ella también duerme en la cabeza.

❊

Los ordenadores no tienen fantasía porque no tienen cabeza,
pero nosotros podemos introducir fantasías en nuestra
cabeza como en un ordenador.

❊

La fantasía es ligera, flota y podemos verla.
Tiene muchas ideas.

❊

La fantasía está en el cerebro. La mitad del cerebro
es fantasía y la otra mitad es realidad.
Con la mitad fantástica imaginamos las cosas
que no existen. La fantasía está en la cabeza,
en el último piso del cerebro, en la parte de atrás.

❊

Según el tamaño de la cabeza así es de grande la fantasía.

to con ellos. Los adultos no suelen apreciar ese rasgo. «Dormilón», «huevón», «tiene dos manos izquierdas», «espabila que te estoy hablando» son algunas de las manifestaciones más cariñosas que escuchan a menudo estas criaturas. Con frecuencia, les cuesta enfrentarse a la realidad porque todavía pasan demasiado tiempo en su mundo de juego y fantasía. Las reprimendas tipo «deja de mirar a las musarañas», «no juegues tanto y fíjate en lo que haces» no consiguen otra cosa que empeorar la situación.

Los niños soñadores suelen tener algo difusa la percepción del propio cuerpo. Sus sentidos todavía no están del todo despiertos. Hay que desarrollar en ellos la precisión propioceptiva. En su educación necesitan menos juegos de fantasía verbal y más actividades que impliquen contacto corporal, de manera que adquieran conciencia de los límites físicos: digitaciones (no sólo con las manos, sino también con los pies), zapateados, palmadas, chapoteos en el agua, les ayudarán a situarse en el mundo.

La piel es el órgano sensorial más extenso que tenemos y se estimula mediante el tacto. Son muy importantes para los soñadores los juegos de masaje suave con fricción, percusión, pellizco y caricia en brazos y manos, pies y piernas, o espalda. A veces, sin embargo, estos niños no están de humor para ser manoseados. Por tanto, hay que ofrecer esas actividades sólo cuando los veamos dispuestos y ellos consientan.

¿Por qué tienen los niños la necesidad de crear personajes imaginarios?

Los cuentos sirven para escenificar los estados interiores. *Los distintos personajes representan diferentes partes del psiquismo.* Para un desarrollo espiritual sano, cada niño ha de encontrar dentro de sí un rey y un escudero, un noble y un porquerizo. A través de los cuentos se figura a sí mismo también, lo que no es poco, así como algunos aspectos de la psiquis materna, representados como la Virgen María, la bruja, el hada, la madrastra, la hechicera, etc. No es indiferente para el niño verse representado como enanito, o como lobo, o como cordero. Todas esas facetas le son necesarias para el desarrollo de su «yo». Según la situación, los personajes desplegarán diferentes cualidades psíquicas. El niño irá familiarizándose con todos estos protagonistas, cuantos más mejor para un desarrollo armonioso, para el equilibrio y para la estabilidad interiores. Por eso necesitan escuchar cuentos, y les gusta que se les repitan muchas veces los que ya conocen. Esa repetición los alegra y los reconforta.

LAS VERDADES DE LOS CUENTOS

Hacia los cuatro años de edad los niños ingresan en la fase de los cuentos, que suele durar hasta los nueve. El lenguaje de los cuentos es blanco y negro, «los buenos reciben su premio y los malos, el castigo», «el héroe siempre gana». Este pensamiento maniqueo es el que corresponde a la capacidad del entendimiento infantil. Es posible que haya a veces «crueldad» en los cuentos clásicos, pero los pequeños ni siquiera reparan en ella, sino que la consideran como el justo castigo de los malos. Los cuentos tienen una gran eficacia terapéutica; he aquí algunos ejemplos:

- **Alegrar y consolar** Los niños tristes y enfermos hallan alegría y consuelo en cuentos como *Peter Pan* y *Aladino y la lámpara maravillosa*.

- **Infundir valor y autoconfianza** Para los niños medrosos y asustadizos son más adecuados los cuentos en que el más joven es, al principio, el tonto o el bisoño, o el héroe se ve ridiculizado o abandonado: *Pulgarcito*, *Pinocho*, *El sastrecillo valiente*, *El gato con botas*.

- **Enseñar a compartir** Los niños reacios a compartir sus cosas aprenden gracias a los cuentos que la generosidad nos enriquece y nos hace felices. Ejemplo de ello, el *Cuento de Navidad* de Dickens.

● **Limitar los deseos** En cuentos como el de *La camisa del hombre feliz* o la fábula de *La zorra y la cigüeña*, los niños desmedidos aprenden que todo tiene su límite. La moraleja se resume en este pensamiento del poeta y filósofo hispanorromano Séneca:

> No es pobre el que tiene poco sino el que envidia mucho.

La verdad se nos presenta bajo muchas formas

Recordaré a continuación un cuento breve pero de mucho efecto. Los niños aprenden que cuando se descubre únicamente un aspecto parcial de la verdad todavía se está lejos de conocerla. Es un relato que se presta a ser complementado con juegos de tacto a ojos vendados:

➡ *Cinco ciegos visitan el zoológico*: El director del zoo los recibe y les anuncia la intención de presentarles a su animal favorito. Pero como son invidentes, están autorizados a tocarlo. El primero dice haber palpado una cuerda blanda y peluda. El segundo ha tocado una vigorosa columna. El tercero se ha dado de bruces contra una pared. El cuarto balancea entre las manos una gruesa manguera. A la pregunta del director, los ciegos no consiguen ponerse de acuerdo. Cada uno ha «visto» un animal distinto, pero ninguno de ellos reconoce al elefante, porque no han captado más que un aspecto parcial del proboscidio.

EL MUNDO AL REVÉS Y OTROS «VAMOS A CONTAR MENTIRAS»

Para facilitar la distinción entre verdad y mentira jugaremos al «mundo al revés» o al «vamos a contar mentiras». Los niños desarrollan una sensibilidad muy aguda para el lenguaje y tienen gran sentido del humor. Claro está que para entender el «mundo al revés» se necesita un razonable conocimiento del mundo real, ya que el efecto humorístico se basa en la paradoja o el contraste. Éste es el *Vamos a contar mentiras* que tantos viajes ha animado:

Ahora que vamos despacio (bis),
vamos a contar mentiras, tralará (bis),
vamos a contar mentiras.

Por el mar corren las liebres (bis),
por el monte las sardinas, tralará (bis),
por el monte las sardinas.

Yo salí de un campamento (bis)
con hambre de tres semanas, tralará (bis),
con hambre de tres semanas.

Me encontré con un ciruelo (bis)
cargadito de manzanas, tralará (bis),
cargadito de manzanas.

Empecé a tirarle piedras (bis)
y caían avellanas, tralará (bis),
y caían avellanas.

Con el ruido de las nueces (bis)
salió el amo del peral, tralará (bis),
salió el amo del peral.

Chiquillo no tires piedras (bis)
que no es mío el melonar, tralará (bis),
que no es mío el melonar.

Que es de una foncarralera (bis)
que vive en El Escorial, tralará (bis),
que vive en El Escorial.

CUENTOS DE MENTIRAS QUE INVENTAMOS NOSOTROS MISMOS

Los niños de edad escolar ya son capaces de inventar y disfrutan con ello. Para empezar pueden idear pareados que nosotros iremos alternando con un refrán. De esta manera, la narración puede alargarse infinitamente, siempre dentro del delicioso terreno de lo absurdo:

A la puerta de un sordo
cantaba un mudo,
y un ciego le miraba
con disimulo,
y dentro, un cojo
bailaba seguidillas
con desahogo.

Obrar correctamente

El texto que cito a continuación estaba colgado en la puerta de un seminario tibetano. Una amiga lo copió para mí durante un viaje por Asia. Sintetiza de una manera clara lo que debe y lo que no debe hacerse en la educación de los niños, y describe las consecuencias de lo uno y lo otro. La mayoría de nosotros ni siquiera nos damos cuenta de los efectos que puede originar en la psiquis infantil una palabra dicha a tiempo, o a destiempo. Efectos que muchas veces son duraderos. ¡Cuánto más cierto no será eso en lo tocante a las acciones! Copiemos estas sabias palabras y colguémoslas en algún lugar donde las veamos todos los días, a fin de tenerlas en cuenta cuando tratemos con los pequeños:

> **Cuando criticamos a un niño**
> **le enseñamos a condenar.**
>
> **Cuando lo tratamos con hostilidad**
> **le enseñamos a pelear.**
>
> **Cuando nos burlamos de un niño**
> **lo hacemos apocado.**

Cuando avergonzamos a un niño
le enseñamos a sentirse culpable.

Cuando lo comprendemos y lo toleramos
le enseñamos a tener paciencia.

Cuando lo tratamos con equidad
le enseñamos a ser justo.

Cuando hacemos que se sienta protegido
le enseñamos a quererse a sí mismo.

Cuando lo admitimos con amabilidad
le enseñamos a encontrar el amor en el mundo.

Obrar correctamente tiene mucho que ver con la cortesía sincera, la que nace del corazón. Las formas de la buena educación sirven para regular y facilitar la convivencia entre las personas. Pero cuando degeneran y llegan a no ser más que formulismos vacíos, que ya sólo sirven para ocultar los sentimientos verdaderos, esa relación con el buen hacer se pierde. Por este motivo, un saludo dicho forzadamente a insistencia de los progenitores, o unas excusas obtenidas por el miedo al castigo, no figuran entre los comportamientos deseables. En cambio, cuando un niño expresa con espontaneidad la alegría que le causa un juego, un cuento o un pequeño regalo, por ejemplo sonriendo o exclamando «¡qué bonito!», eso sí es «actuar correctamente». Cuando compruebe que todos los miembros de la familia se escuchan mutuamente, se miran, se atienden los unos a los otros, se respetan, se aprecian y hablan, piensan y juegan juntos, el niño aprenderá de una manera completamente natural lo que es la cortesía del corazón.

El sentido y el entendimiento de la acción correcta lo aprenden los adultos paso a paso, exactamente igual que los niños, realizando un número cada vez mayor de aspectos parciales en el día a día. Observamos nuestro propio comportamiento y nos preguntamos: ¿Qué hago yo para traducir ese valor en la práctica? ¿Qué es para nosotros lo «correcto» y lo «equivocado»? ¿Cómo nos enfrentamos a nuestros errores? Elegimos aspectos del tema «actuar correctamente», como por ejemplo «ser independiente», «ser agradecido» o «buenos modales», y estamos pendientes de ellos durante varios días. ¿Cómo viven los niños estos aspectos?

He aquí el encadenamiento de palabras para el tema «actuar correctamente». A lo mejor después de la lectura se nos ocurren otros conceptos que añadir.

Independencia
Independencia
℮
Higiene
Higiene
℮
Satisfacción
Satisfacción
℮
Valentía
Valentía
℮
Credibilidad
Credibilidad

Autoridad positiva
Autoridad positiva
à.

Responsabilidad
Responsabilidad
à.

Agradecimiento
Agradecimiento
à.

Paciencia
Paciencia
à.

Actitud considerada
Actitud considerada
à.

Buen uso de los materiales
Buen uso de los materiales
à.

Buen uso del tiempo
Buen uso del tiempo

JUEGOS SOBRE EL ACTUAR CORRECTAMENTE O NO

Les contamos a los niños historias breves tomadas de la vida cotidiana, intencionadas y tal vez un poco exageradas, que van a servir para representación espontánea en forma de pequeñas escenas teatrales. Sirven para dar pie al comentario: «¿Ha sido ésa una buena idea? ¿Podía hacerse mejor? ¿Qué haría yo en esa situación?». Se vuelve a representar la escena, pero ahora con el desenlace positivo que hemos hallado. Tendremos la sorpresa de comprobar la riqueza de ocurrencias que los niños aportan a este tipo de juegos y el gran número de soluciones originales que proponen para la repetición. He aquí algunas sugerencias:

● **Independencia** El pequeño Juanito presume:

—Soy mayor, tan mayor que todas las noches salto por la ventana y me voy a dar un paseo por el bosque.

● **Disposición para ayudar** La abuela llama:

—¡Anita! ¿Te importaría ir a vaciar el buzón y traerme la correspondencia?

—¡No puedo! ¡Estoy jugando!

● **Credibilidad** Los Martínez han cargado el coche para salir de vacaciones y descubren que el perro no cabe. Le cuelgan al cuello un cartel que dice «se regala este perro», lo atan al poste de un semáforo y se alejan a toda velocidad.

● **Buenas maneras** A Sabina no le gusta la sopa. Se pone en pie, escupe en el plato y después de chillar: «¡No me gusta la sopa!», corre a encerrarse en su habitación.

● **Una historia sobre la paciencia** Pepe el labrador ha plantado trigo y todos los días sale al campo, a ver cómo crecen las espigas. Un día se le antoja que tardan demasiado en crecer. Una a una saca de la tierra las espigas para estudiar las raíces.

—Por debajo parecéis bien —murmura, y vuelve a introducir las raíces en la tierra.

Muy fatigado, retorna a casa y le dice a su hijo:

—¡Hoy he conseguido que el trigo crezca más rápidamente!

Transcurrida una semana, el hijo sale a mirar los campos y descubre que todas las plantas se han secado.

¿Bien hecho o mal hecho?

A los niños les gusta este juego de adivinanzas porque ya conocen la mayor parte de las reglas. Es una manera de sonsacarles lo que han aprendido, y de comprobar si son conscientes de lo que es actuar acertadamente o no. Es más divertido cuando aborda temas de actualidad en la familia.

¿Está bien o mal?:

◎ Saltar sobre la cama con los zapatos puestos.
◎ Cruzar la calle con el semáforo en rojo.
◎ Darse la mano en señal de reconciliación.
◎ Cepillarse los dientes antes de irse a la cama.
◎ Hurtar un sorbo de la cerveza de papá.
◎ Arrojar la americana al suelo.
◎ Escuchar una casete de música.
◎ Comerse a solas una tableta entera de chocolate.

Valentía para afrontar la metedura de pata cotidiana

Se cuenta que Gottfried Duttweiler, el creador de la potente cadena comercial suiza Migros, tenía sobre su escritorio un rótulo con esta frase. Me parece una idea extraordinaria. Es cierto que todos los días nos exponemos a quedar en evidencia. Para la propia tranquilidad, es mejor asumirlo de antemano. La sabiduría popular invita a «aprender de los propios errores». Cuando algo me sale mal pienso: «¡Ya me he lucido otra vez! La próxima lo haré mejor». Para obrar con acierto lo primero es conocer las soluciones desacertadas. Motivo por el cual seremos indulgentes al comentar las pequeñas torpezas de los niños. Hay que decirles, por ejemplo, que no pasa nada aunque hayan derramado un poco de agua, y concederles otra oportunidad para que lo hagan con más cuidado y procurando que no se derrame nada. Y no olvidemos premiar los éxitos con elogios como «esta vez lo hiciste muy bien, ¡muchas gracias!».

Los niños necesitan una autoridad positiva

Muchos padecimientos infantiles y trastornos del comportamiento son debidos al escaso ejercicio de la autoridad por parte de padres y educadores, en contraste con la situación histórica pasada, cuando los problemas derivaban del exceso de autoritarismo, que anulaba la personalidad del educando. El trabajo de relación y de educación en el auténtico sentido de la palabra es un bien escaso y que no se adquiere sin esfuerzo. Muchos adultos se sienten inseguros en lo que se refiere al trato con los niños, y no saben cómo actuar.

Una observación que puede hacerse fácilmente en el autobús, en el centro comercial o en casa de unos conocidos: el niño pide algo, los padres se lo niegan tres veces y ceden a la cuarta, con los nervios deshechos. Para el niño, es un juego: «¡Ole! No hay más que insistir cuatro veces, y hago lo que me da la gana o consigo lo que quiero». En este juego de poder, evidentemente, no será él quien se rinda primero. Sin embargo, quien no haya aprendido de pequeño *el cumplimiento razonable de las instrucciones recibidas* va a tener dificultades de adaptación en el jardín de infancia y en la escuela, y experimentará un número de conflictos realmente innecesario.

El exceso de estímulos que proporciona la vida moderna no facilita la distinción entre lo esencial y lo innecesario, ni a los niños ni a los mayores. En líneas generales, los niños de hoy parecen más agitados. Evidentemente, el ejemplo de los padres influye mucho en los más pequeños. Wolfgang Bergmann ha escrito un importante libro sobre la «autoridad positiva», también conocida como «disciplina positiva», un tema de gran actualidad. El concepto de autoridad es un tabú desde hace bastantes años. Mal entendida, no se practicaba en la forma conveniente. Pero los niños necesitan unos padres que hagan de guías, que infundan confianza, que eduquen con autoridad positiva. Lo que sigue es una cita del libro de Bergmann:

> **Lo que necesitan los niños no son más limitaciones, sino más orientaciones, estabilidad y atención cariñosa. En una palabra, necesitan autoridad positiva.**

Autoridad positiva, sin embargo, también significa decirle al pequeño con claridad lo que uno quiere:

—Quiero que vayas a lavarte las manos ahora. Comemos dentro de cinco minutos.

Cuando las reglas están claras, los niños cumplen sin rechistar. Vivimos en una época de transición. Todo cambia con rapidez. Desaparecen las tradiciones, se suceden a gran velocidad distintos modelos pedagógicos, y nadie tiene una idea clara de cómo serán las cosas en el futuro. Ese vacío genera una fuerte incertidumbre. Importa más que nunca ofrecer a los pequeños un puerto seguro, que es lo que debe ser la familia, en cuyo seno los padres ayudan, orientan, proponen directrices, en esto consiste la autoridad positiva. Gracias a ella encuentran además unas estructuras inteligibles, lo que les ayudará a madurar hasta convertirse en personas socialmente bien integradas, comprensivas para con los demás y capaces de reflexionar sobre sí mismas. *La estabilidad que proporcionan los valores de los padres y los educadores más*

próximos es casi la única referencia sólida en que pueden confiar los ni-
ños actualmente.

Démosles tiempo suficiente para jugar, algo necesario para un desarrollo saludable, pero proporcionémosles también oportunidades para realizar actividades que tengan sentido dentro de un grupo. Y también un tiempo de ocio, un tiempo para soñar. Establezcamos, en tanto que progenitores, unas normas familiares, y así nosotros y ellos tendremos una pauta para organizar las jornadas. A los niños, eso les simplifica la vida y los tranquiliza. Las reglas les transmiten sensación de seguridad, estabilidad y estructuras positivas. Algunas reglas pueden negociarse, pero las hay que son indiscutibles. Baste recordar las normas de la circulación en la calle, las que afectan a la salud y las reglas para el manejo de materiales u objetos peligrosos.

◎ En el coche los niños se sientan en la sillita homologada y con el cinturón de seguridad puesto.
◎ Cuando te hace daño la barriga no puedes tomar tarta de chocolate.
◎ No correr por ahí llevando en la mano un cuchillo puntiagudo.

«¿Los cartones de leche se crían en los árboles?»

Eso me preguntó hace poco un pequeño de mi pueblo. Aunque vive con su familia en lo que antaño fue una granja, él nunca ha visto un corral, y no sabe qué relación existe entre la hierba, la vaca, el ordeño y el cartón de leche. El buen uso de los bienes materiales, en este caso la correcta valoración de los alimentos, no es algo innato, sino algo que se aprende. Para que nuestros hijos se familiaricen con lo que comen, será necesario que dediquemos parte de nuestro tiempo a que participen en los procesos de la alimentación: ir de compras, cocinar, disfrutar del rato agradable de la reunión familiar en el comedor. Adelantémonos a darles buen ejemplo y tengamos en cuenta aquel proverbio asiático que dice:

> **En el amor y en la cocina**
> **hay que poner todo el corazón.**

La «vida moderna» ha invadido también esa esfera de las compras, los guisos y las horas de las comidas. Hoy se quiere que todo sea «económico, racional y salutífero»... y, sobre todo, «el tiempo es oro». Por eso compramos pizzas congeladas, tetrabriks de leche, menestras y platos precocinados para el microondas. Inventos útiles, sin duda, para remediar el agobio de la mujer que trabaja fuera de casa. Pero no hay que olvidar que con ellos se priva a los niños de una serie de experiencias sensoriales que son fundamentales y necesarias para aprender a valorar los alimentos y adquirir hábitos correctos.

◎ Dejemos que ellos elijan y determinen con cierta frecuencia el menú del día.

◎ Que nos acompañen a comprar, pero no sólo en el supermercado. Hay que llevarlos a los mercados tradicionales de barrio, y a las granjas durante los fines de semana o las vacaciones. ¡Cuánto hay que ver en esos lugares! ¡Cuántos colores y olores!

◎ Cuando sea posible, consumiremos productos de nuestro propio huerto. Plantar y cosechar son experiencias elementales, insustituibles, para nuestros chicos y chicas. Las zanahorias, los tomates, las lechugas y las alubias que uno mismo ha cultivado saben mejor.

◎ Aunque nos lleve un poco más de tiempo, dejemos que asistan al proceso de cocción y horneado de los alimentos. Así estimulamos la capacidad de observación, las experiencias sensoriales, los conocimientos, la habilidad y el aprecio por la buena comida. Las horas de comer son también el tiempo de la conversación, ¡no desaprovechemos esa excelente oportunidad! De vez en cuando, a los niños les gustará hornear un pastel con la ayuda de su padre, o amasar la harina con levadura para dar forma a unas tortitas.

◎ Recordaremos con alegría que todo lo que comemos tarda muchos meses en crecer y madurar hasta tener tan buen sabor, y que ha contribuido a ello el trabajo de muchas personas: el labrador, el cosechero, el camionero, el almacenista, el comerciante, los que guisaron y pusieron la mesa... A todos ellos podríamos enviarles mentalmente una sonrisa de agradecimiento. (Buen momento para hablar con los niños y aclararles que la leche no se cría en los árboles, ni las pizzas nacen en las cámaras frigoríficas. Todos nuestros alimentos provienen de la madre Tierra, aunque luego tengan forma de chocolate, refrescos de cola o hamburguesas.)

Según la educadora Donata Elschenbroich, autora de *El mundo y los conocimientos del niño de siete años* (véase la bibliografía al final de este libro), los niños de esta edad deberían saber preparar mantequilla y nata montada, además de tener conocimientos elementales de química y física culinarias, como por ejemplo que el moho, además de ser el causante del mal sabor de los alimentos, es perjudicial para la salud. Deben saber realizar acciones como remover con el cucharón, rallar, pelar, amasar y pasar por el colador; así como distinguir entre lo crujiente y lo quemado, entre lo crudo y lo cocido, lo insípido y lo salado.

¿Sabían ustedes que uno de cada cuatro habitantes del planeta bebe agua contaminada? ¿Y que todos los años mueren 3,3 millones de niños antes de cumplir cinco años, a causa de enfermedades causadas por consumir agua en malas condiciones?

¿Sabían que una de cada nueve personas padece una deficiencia alimentaria crónica? ¿Que todos los años mueren de hambre 40 millones de seres humanos?

A los niños pequeños no hay que abrumarlos con este tipo de noticias funestas. Durante su infancia precisan de nuestra protección, mientras aprenden a confiar en sí mismos. Pero es fundamental que lo recuerden los adultos. Conocedores de esas situaciones, trataremos con más cuidado, atención, cariño y sentido de la economía nuestros alimentos.

EL AGUA DE ACCIÓN DE GRACIAS

Para los humanos es indispensable disponer de agua clara y limpia, lo que no siempre se consigue. Una amiga mía me ha sugerido la idea del agua de acción de gracias. En una jarra de cristal ha rotulado «gracias» con grandes letras, usando un rotulador indeleble. Dentro de la jarra coloca un cristal, la llena de agua del grifo y la coloca al sol al tiempo que pronuncia una breve oración. El agua recibe todos los colores del arco iris y los buenos deseos. Los hijos de mi amiga aprecian esta agua por encima de todo. La beben con recogimiento, a pequeños sorbos, y dicen que es la mejor agua del mundo.

—Tiene un sabor más blando —dicen.

—¡Se nota la energía del agua!

La idea es hermosa e invita a emularla.

RITOS Y BENDICIONES PARA LA MESA

Para que la ceremonia cotidiana de sentarse a la mesa en familia sea algo especial, la acompañaremos con determinados ritos. Hay que lavarse previamente las manos, poner la mesa con mantel y pronunciar unas palabras, o una oración, antes de empezar a comer. De esta manera se crea un *sentimiento de valoración y respeto hacia los alimentos*. En casa cenamos algunos días a la luz de las velas.

Según Donata Elschenbroich los niños deben aprender a distinguir entre una comida y un ágape.

Algunas veces dejaremos que el niño elija la fórmula de la oración. Tomándonos de las manos, la pronunciamos todos al mismo tiempo y, por último, nos deseamos mutuamente «buen provecho». He aquí algunos ejemplos antiguos y nuevos.

Señor, bendice estos alimentos que recibimos
de tu generosidad. Da pan a los que tienen hambre
y hambre de Dios a los que tienen pan.

✳

Bendita sea esta comida que vamos a compartir
y que es signo de paz, de alegría y fraternidad.

✳

Bendícenos, Señor, y bendice estos alimentos
que vamos a tomar. Haz que no les falte el pan
a los que pasan hambre.

✳

Benditos cuantos hoy comemos este pan,
los que lo hicieron y los que no lo tendrán.

Bendito seas, Señor, Dios del universo, por estos alimentos, fruto de la tierra y del trabajo del hombre, que hemos recibido de tu bondad y ahora vamos a compartir.

Del trato correcto con las cosas

La moderna *sociedad del despilfarro* influye en todos nosotros, sin exceptuar a los niños. Yo vivo en un pueblo, pero incluso allí casi nadie arregla ya los juguetes rotos. Se tiran directamente a la basura, a veces en presencia de los pequeños. ¿Qué se les da a entender con eso? Que *lo estropeado y lo viejo* no valen nada y hay que tirarlos. De ahí no hay más que un paso a esta otra conclusión: que a la abuela, como está vieja y arrugada, también hay que «depositarla» (en una residencia), y que el que cae enfermo va a parar al *compost*.

El bedel de nuestra escuela se queja de que todos los meses reúne una caja de cartón llena de prendas y calzado que los niños han olvidado o perdido, y que luego nadie reclama: chaquetas, zapatillas de deporte, calcetines, pañuelos, gafas de sol, etc. ¿Es posible que ni los niños ni sus padres se enteren de que han perdido algo? ¿No se les ocurre pensar que tal vez alguien se habrá tomado la molestia de recogerlo para ellos? Cuando tratamos los objetos con tanta negligencia, los pequeños llegan a la conclusión de que, si quieran alguna cosa nueva, no tienen más que romper, perder o tirar lo viejo. Se establece así un círculo vicioso, cuyas consecuencias son nefastas. Desde la más temprana edad, perdido el respeto a las cosas, ellos también entran a formar parte de la sociedad despilfarradora.

EL OSITO DE FELPA ES UN AMIGO PARA TODA LA VIDA

Qué ejemplo tan diferente damos, por ejemplo, cuando el osito pierde un brazo y nosotros se lo cosemos y lo dejamos como nuevo. El niño puede pensar: quiero a mi osito aunque esté un poco estropeado; es mío, lo aprecio y lo cuido para que me acompañe durante mucho tiempo. Somos amigos para toda la vida.

Naturalmente, cada uno de los peluches y muñecos de los pequeños tiene su nombre. Eso les confiere personalidad y «vivifica» la relación. En los jardines de infancia, a veces les permiten llevarlos y todos los niños del grupo se los presentan mutuamente. La educadora organiza un rato de gimnasia con ellos y con los juguetes, y éstos reciben las debidas atenciones.

Los maoríes de Nueva Zelanda no sólo tienen nombre propio para los juguetes, sino para todos los objetos del hogar. A las nuevas adquisiciones se les da la bienvenida y se les asigna su lugar en la vivienda mediante un sencillo rito, que incluye la elección de un nombre. Es una manera muy diferente de tratar «las cosas». Obviamente nosotros no podríamos adoptar esa costumbre, ¡tenemos tantos trastos! Pero todavía es posible «bautizar» con un nombre propio a los principales, a los que consideremos más importantes para nosotros. De esta manera, el coche tal vez se llamaría «Carolina», la papelera «Max» y las zapatillas de estar por casa «Hansel y Gretel». Los niños que han vivido esta ceremonia divertida y cariñosa aprenden, al mismo tiempo, que todos los objetos tienen su valor. Cuando vayan a la escuela no les impresionará tanto la ostentación de aquellos compañeros que lucen prendas y zapatos «de marca». De las marcas más caras, se sobreentiende. Pero el que valora lo suyo sabe que una marca no es más que un nombre, ni mejor ni peor que cualquier otro.

LAS COSAS MÁS IMPORTANTES DE LA VIDA SON DE BALDE

Una y otra vez les repetimos a los niños:

—Tratad las cosas con cuidado.

Les recordamos que estos objetos, antes de pasar a ser nuestros, son producto de muchas horas de trabajo por parte de un gran número de personas. Las calles, las casas, las cocinas, los muebles, las ropas, los aparatos de radio, los aviones, los teléfonos, etc., son fruto de un trabajo acumulado, y sólo gracias a la actividad de nuestros predecesores disfrutamos hoy de todo ello. Por ello digamos, en momento oportuno, frases como:

—Qué bien que esos obreros construyeran un túnel tan largo y seguro.

O también:

—Los árboles de este paseo fueron plantados hace cien años. Ven, vamos a ver si podemos abarcar uno de ellos entre los dos, y le daremos las gracias por seguir aquí y darnos su sombra.

—Este jersey te lo hizo la abuela, y bien que repicaban las agujas entre sus manos.

—Gracias, ovejita, por tu lana que está sirviendo para tejer un jersey para mi nieto, al que tanto quiero.

El mensaje más importante que podemos transmitir a nuestros hijos es que en la vida hay cosas que no se compran con dinero.

Las cosas esenciales de la vida
se nos regalan:
la luz del sol y el claro de luna,
la sonrisa de un niño,
el piar de las aves,

el prado y sus flores,
el bosque y el viento
que canta en las ramas,
la felicidad y el silencio,
los buenos amigos
y los padres queridos.

Consejos de un niño a sus padres

Los deseos infantiles que cito a continuación me han conmovido. Lamentablemente, no conozco al autor de ese texto. Demuestra que los niños poseen un fino instinto para lo que es «actuar correctamente». Cuando hay algo que «no marcha», enseguida lo notan. Intuitivamente captan si nuestros pensamientos y sentimientos van o no de acuerdo con nuestras acciones. Disfrutemos la vida con nuestros pequeños. Pongámosles señales en su camino para que se orienten, y normas cuando haga falta.

1. No me consientas. Yo sé bien que no me hacen falta todas las cosas que pido. Lo hago sólo para ponerte a prueba.
2. No temas tratarme con claridad y decisión. Lo prefiero porque así sé a qué atenerme.
3. No seas inconstante, eso me desorienta y entonces me empeñaré más en conseguir lo que se me antoje.
4. No me hagas sentirme más niño de lo que soy.
5. No hagas por mí nada que sea capaz de hacer yo mismo.
6. Confiésame tus errores. Necesito aprender a equivocarme sin desmerecerme por ello.
7. No pongas en duda mi sinceridad, de lo contrario, tendré miedo y me veré obligado a decir mentiras.

8. Que mis pequeñas indisposiciones no te alarmen demasia-do. De lo contrario, preferiré ponerme enfermo para que estéis todos pendientes de mí.

9. No te evadas cuando realmente necesito saber algo.

10. No creas que tu dignidad peligra cuando me pides perdón.

11. No te preocupes por si tienes poco tiempo para mí, lo que cuenta es cómo empleamos ese tiempo.

Con alabanzas se consigue más que con enfados y castigos

Es fácil observar que la mayoría de las personas confían más en la crítica destructiva que en el comentario positivo. A las manifes-taciones elogiosas se les suele restar importancia con frases como:

—¡Bah! Lo ha dicho sólo para hacerse el simpático.

—Cuando uno me adula, ya sé que espera obtener algo de mí.

En cambio, recibimos la crítica sin detenernos a considerar que a lo mejor el que critica no está capacitado para juzgar, o que tal vez la crítica lleva segundas intenciones. La alabanza en los pequeños asuntos cotidianos siempre agrada, y levanta el áni-mo del elogiado. ¡Disfrutémosla! Por ejemplo, jugando con los niños al «lo que más me gusta de ti».

LO QUE MÁS ME GUSTA DE TI...

Siempre es una sorpresa comprobar los muchos motivos que hay para la alabanza, y lo radiantes que se ponen los niños cuando la reciben. Implica además el reconocimiento de las diversidades dentro de la familia, y de cómo no siempre éstas causan posibles conflictos, sino que aportan rasgos interesantes y nuevos, que enriquecen y animan la vida familiar. Procuremos encontrar tiempo para practicar este juego por lo menos una vez al día. Para ello hay que observar qué actividades se les dan mejor a los niños o qué detalles de su comportamiento merecen elogio. El juego consiste en tres rondas con las frases:

> Lo que me gusta de ti...
> También me agrada de ti...
> Lo que amo más especialmente...

◉ «Lo que me gusta de ti es que últimamente después del almuerzo y sin que te lo diga nadie, te vas a la habitación y te quedas media hora mirando tus libros ilustrados.»

◉ «Lo que también me agrada de ti es ver cómo te diviertes con tu hermano.»

◉ «Lo que amo más especialmente es cómo escuchas con atención cuando te leo un cuento.»

◉ «Lo que me gusta de ti es que ayudas a poner la mesa.»

◉ «Lo que también me agrada de ti es la cordialidad con que saludas a las personas.»

◉ «Lo que amo más especialmente es cómo consuelas a tu hermanita cuando llora.»

En ocasiones, puede parecer que sean demasiadas alabanzas, y que «al que se hace de miel se lo comen las moscas». Es la falta de costumbre. También se puede repartir el elogio tres veces al día, aprovechando situaciones oportunas. Los niños se vuelven menos agresivos, más cariñosos y felices. La alabanza, cuando es sincera y nace del corazón, los conforta y les transmite seguridad en sí mismos, pero un tipo de seguridad positiva que no es vanidad.

Los pequeños verdugos y sus víctimas

Lamentablemente, hoy día, el acoso o *mobbing* no es un fenómeno exclusivo del mundo laboral. Los grupos abusivos también se encuentran en los jardines de infancia. Los niños y niñas pueden ser acosadores y también víctimas. Es una forma especial de agresividad y comportamiento injusto. El grupo entero toma como víctima o chivo expiatorio a cualquiera de los compañeros. Lo «chinchan» continuamente de palabra u obra, y se alegran de sus desgracias. Los comienzos son insidiosos. Supongamos que una niña y su amiguita empiezan a pellizcar a una compañera, simplemente porque les hace gracia, sobre todo porque ven que la víctima se echa a llorar. Las dos «abusonas» proporcionan ejemplo a todo el grupo, hasta que todas se dedican a pellizcar a esa víctima. No es el caso de una disputa infantil normal, de las que empiezan con palabras y se van intensificando hasta llegar a una agresión. Estamos ante el comienzo de un mobbing infantil, un comportamiento agresivo grupal que va dirigido a infligir conscientemente daño psíquico o físico.

Acoso directo y acoso indirecto: La doctora Françoise D. Alsaker, profesora de psicología en la Universidad de Berna, ha estudiado el fenómeno en los niños y distingue dos clases de acoso. *En la forma directa, los conjurados agreden psíquica y verbalmente con insultos, atacan con golpes a la víctima, la ridiculizan y le roban o rompen los objetos de su propiedad*, por ejemplo un castillo que haya construido, o un bonito dibujo, o le quitan las gafas.

El acoso indirecto, en cambio, consiste en excluir, en ignorar; a veces comprende la difusión de habladurías y calumnias. Es una variante todavía más pérfida. La víctima no encuentra manera alguna de defenderse, puesto que los acosadores no dan la cara. Por ejemplo, la insultan en voz baja al pasar diciéndole «¡apestas!», «¡vaca burra!» u otros «piropos» por el estilo. Un rasgo típico del acoso es la actuación sistemática de todo el grupo contra un individuo o individuos aislados. Las ofensas o humillaciones se reiteran de mil maneras diferentes. Se trata de relegar a los últimos lugares de la jerarquía o expulsar al «paria» del grupo. Se le intimida mediante amenazas como «si se lo cuentas a alguien, te vas a enterar cuando salgamos del colegio», o «si te chivas te quitamos la merienda».

Por consiguiente, *las víctimas callan.* Los niños amenazados no hablan, principalmente por temor a las represalias. Sufren un estado de confusión total, se sienten solos y no encuentran salida a la situación.

En efecto, la víctima del mobbing precisamente no puede contar con la ayuda del grupo y por eso es importante que los adultos rompan la ley del silencio. Cuando se observen indicios de semejantes conductas en un grupo, hay que intervenir y cortar inmediatamente. A los agresores se les recriminará su comportamiento, pero teniendo en cuenta que no se debe criticar al niño agresivo, sino su conducta. Reaccionar sin demora y tajantemente, para dar a entender que no se tolera el acoso, es la única posibilidad, y aun así el éxito no está asegurado.

Los acosadores son niños agresivos o por lo menos con propensión a la agresividad. En cualquier caso, el agresor potencial tendrá sus antecedentes, porque según la psicología actual las conductas agresivas no son innatas, sino que se adquieren. El fenómeno nunca desaparece por sí solo. Si nadie interviene, los niños no tardarán en descubrir que consiguen lo que quieren con su agresividad. ¿Por qué iban a prescindir de ella? Las «víctimas», en cambio, suelen ser sujetos de agresividad inhibida, criaturas tímidas que no saben imponerse ni defenderse.

El resto del grupo son «compañeros de viaje» o «comparsas». El que se limita a mirar pasivamente en vez de ponerse a favor del ofendido, de hecho, está tomando parte en el acoso indirecto. Según los estudios de la doctora Alsaker los efectos del acoso pueden ser nefastos, llegando hasta la depresión psíquica.

He aquí algunas ideas para la *prevención, que es principio fundamental*:

◉ Los niños deben aprender a respetar y asimilar la necesidad de aceptar las diferencias individuales.

◉ Deben desarrollar su valentía al tiempo que practican la tolerancia y la paciencia.

◉ En todo esto les ayudaremos con nuestro propio ejemplo y tratando a todos con benevolencia, tanto a los tímidos como a los alborotadores.

¿Por qué nadie hace caso de los niños callados?

La presencia de un chico fanfarrón y alborotador en un grupo no pasa desapercibida. Estos niños son un desafío permanente para los educadores. No hay más remedio que ocuparse de ellos. En cambio, se suele descuidar a los niños tímidos y callados que no lideran las actividades del grupo. Son «fáciles de llevar» y puede ocurrir que queden un tanto desatendidos. Para comprobarlo basta una pequeña prueba: que el educador o educadora se siente a solas en una habitación y escriba una lista de los niños que tiene a su cargo. A continuación, debe repasar la lista en presencia de su grupo y fijarse en los que se le han pasado por alto o figuran en los últimos lugares de la lista. Ésos, «los olvidados», son los que requieren su dedicación especial.

En los juegos de formar corro hará que se sienten a su lado. Les proporcionará más ocasiones para demostrar lo que saben hacer bien (por ejemplo, cantar una canción o recitar unos versos de memoria). Estas atenciones dirigidas servirán para que adquieran seguridad en sí mismos y autoestima.

En el seno de la familia también hay que dedicar más atención a los callados, a los «invisibles» que nunca llaman la atención: hablar con ellos, elogiarlos cuando hagan algo bien, reír y cantar con ellos, animarlos y consolarlos.

Paz y buena compañía

Para abordar el tema de la paz, reproducimos tres citas de otros tantos personajes diferentes y de distintas épocas, pero que se expresan de maneras parecidas. El Dalai Lama, cabeza política y religiosa de los tibetanos, no se cansa de proclamar en las numerosas conferencias que da por todo el mundo:

➠ Aunque juzguemos que es un intento difícil el de obtener la paz mundial mediante la conversión interior de todos y cada uno de los humanos, se trata del único camino. La paz debe desarrollarse, para empezar, dentro de cada uno de nosotros. Yo creo que el amor, la compasión y la abnegación son ingredientes necesarios de la paz. Cuando esas cualidades se hayan desarrollado dentro de cada individuo, él o ella estarán en condiciones de crear una atmósfera de paz y de armonía. Entonces, esa atmósfera se propagará del individuo a su familia, de ésta a la comunidad y, por último, al planeta entero.

Sobre la misma cuestión escribe Karl Jaspers, gran médico, filósofo y psiquiatra alemán del siglo pasado:

> La cuestión de la paz no es una interrogante dirigida
> al mundo, sino de cada uno a sí mismo.

También Friedrich Ludwig Jahn, el alemán de Jena que ideó la gimnasia deportiva, insistió en la importancia de la convivencia pacífica, y lo que él dijo en el siglo XIX sigue siendo cierto hoy día:

> El secreto para convivir en paz con todos los hombres,
> estriba en el arte de entender a cada uno
> con arreglo a su individualidad.

La paz también tiene algo que ver con la inmensidad azul de los cielos y la nostalgia humana del paraíso perdido. Según las Escrituras, el paraíso era un jardín muy hermoso con muchos árboles, flores y ríos. ¿Será por eso que el espíritu se sosiega y el ánimo se vuelve pacífico cuando paseamos por la naturaleza, nos sentamos a la orilla de un río, contemplamos un macizo de flores o disfrutamos de la sombra de un árbol frondoso?

Según la tradición, en el Edén residían asimismo los ángeles. Estos acompañantes de los humanos nos sugieren personajes y virtudes como «el ángel de la paz», «el ángel de la guarda» y paciencia y bondad angélicas. Los situamos en las iglesias y los belenes, en las pinturas, y sobre todo van asociados a las épocas de Adviento y Navidad como guías y anunciadores. Viven también entre nosotros, en forma de humanos abnegadamente dedicados a hacer el bien. Nos recuerdan la promesa contenida en el mensaje de la Natividad:

> **Gloria a Dios en las alturas y paz en la tierra
> a los hombres de buena voluntad.**

He aquí, seguidamente, una breve relación de aspectos parciales vinculados a la paz en tanto que valor, y que podemos considerar en la práctica. Cuanto mejor atendamos a esos aspectos, más posibilidades tendremos de vivir la paz en nuestra existencia cotidiana. Es posible que algunos lectores, y también los niños, consideren más importantes otros aspectos parciales que se pueden añadir a la lista.

Reconciliación
Reconciliación

Tolerancia
Tolerancia

Atención mutua
Atención mutua

Tranquilidad
Tranquilidad

Sosiego
Sosiego

Dignidad
Dignidad

Perseverancia
Perseverancia

❧

Felicidad
Felicidad

❧

Armonía interior
Armonía interior

❧

Paciencia
Paciencia

❧

Aceptarse a sí mismo
Aceptarse a sí mismo

❧

Autodisciplina
Autodisciplina

❧

Comprensión
Comprensión

La paz en la familia: ¿qué cosas hay que tener en cuenta?

Si queremos transmitir a los niños la vivencia de la paz en el seno de la familia, habrá que mostrarles el camino con nuestro ejemplo. Quejarse, incordiar, gritar, patalear, no sirve de nada, ¡todo lo contrario! Si permitimos que el mal comportamiento de nuestros vástagos nos saque de nuestras casillas, si cedemos a la provocación, perdemos la paciencia y reiteramos la pésima opinión que nos merecen, la partida está perdida: hemos reforzado el comportamiento negativo, es decir, la agresividad de los niños. Por eso, no sería mala idea comenzar por *eliminar de nuestro lenguaje las etiquetas y las generalizaciones* por el estilo de:

◎ Mi hijo es incapaz de tener en cuenta ninguna norma.

◎ Mi hijo interrumpe y estorba constantemente a todo el mundo.

◎ Mi hijo no obedece más que bajo la amenaza de un castigo.

◎ Mi hijo tiene rabietas frecuentes durante las cuales rompe cosas.

◎ Mi hijo me dice palabrotas e intenta golpearme.

◎ Mi hijo es quejica, llorón y siempre lleva la contraria.

LOS NIÑOS APRENDEN POR MEDIO DEL REFUERZO POSITIVO

Los elogios crean una motivación más duradera, sobre todo a la hora de modificar conductas. Así pues, propongámonos *transmitirles cada día un refuerzo positivo*. Se trata de buscar ocasiones en que hagan algo bien. De esta manera descubriremos detalles en los que normalmente no habríamos reparado nunca, por ejemplo:

—Estoy orgullosa de ti porque te has puesto los zapatos sin necesidad de ayuda.

—Te felicito, ¡hoy has comido en casa con tanta educación como si estuviéramos en el restaurante!

—Tú y tus amiguitos habéis jugado en la habitación sin alborotar y sin pelearos, ¡eso está muy bien!

◎ ¡Estupendo! He visto cómo te detenías al borde de la acera, y accionaste el pulsador del semáforo, y luego cuando se encendió la luz verde cruzaste por el paso de peatones. ¡Muy bien!

◎ Se ve que estás acostumbrada a tratar con los gatitos, ¡hay que ver cómo juega contigo!

◎ Gracias por guardar los tenedores y los cuchillos en el cajón.

◎ Me alegro de que no me hayas interrumpido y de que hayas esperado a preguntarme hasta que terminé de hablar con la señora Martínez, ¡te estás portando como un chico mayor!

◎ Estoy orgullosa porque entre los dos hemos dejado la habitación muy bien arreglada y limpia, ¡muchas gracias!

Los primeros sorprendidos serán los padres y los educadores cuando vean cómo florecen tanto ellos como las criaturas con esta lluvia primaveral del refuerzo positivo, y cómo van desapareciendo poco las conductas agresivas.

CREAMOS SITUACIONES APACIBLES Y AMABLES

En la vida familiar procuraremos crear la mayor cantidad posible de tales situaciones: un buen ágape, una excursión dedicada a coger flores del campo para adornar el comedor, un rato escuchando música juntos y soñando, una vela encendida puesta en el candelero, o diciendo acertijos y contando viejas historias. O jugando en el bosque, cantando canciones de excursionistas y bailando en corro. O darse masaje en los pies, o mirar juntos un libro de cuentos. Cuando estemos en una de estas apacibles reuniones de familia, no dejemos de expresar nuestra emoción para retener el recuerdo con observaciones como:

—¡Qué bien estamos! ¡Qué paz y qué tranquilidad! Vamos a llevarnos bien. Es bonito llevarse bien.

O también:

—Os quiero y celebro mucho tener unos hijos tan guapos y pasar tan buenos ratos con ellos.

En las situaciones de tensión recordaremos el aforismo del escritor suizo Gerhard Meier:

> **Consuelo y paz nos dan las estrellas, las flores y la música.**

Juntos contemplamos el cielo estrellado y admiramos el resplandor diamantino de los astros. Si se observa con detenimiento, tendremos la impresión de que van cambiando de color y nos hacen guiños. En los días cálidos y soleados nos tenderemos en los prados para ver cómo pasan las nubes, mientras respiramos el perfume embriagador de las flores y nos alegramos la vista con su alegre colorido.

Sin embargo, nada mejor que la música para transmitir sensaciones de consuelo y de paz. Es quizá la más celestial de las artes. Así que reunámonos a escuchar música con asiduidad, solemne y pausada unas veces, alegre y movida otras, invitando a la danza.

Según la autora de *El mundo y los conocimientos del niño de siete años*, a esa edad deben haber comprendido ya que el silencio también es un elemento de la música.

Momentos de tranquilidad con los niños

Se ha demostrado que los niños que tienen experiencia en ejercicios de silencio son más tranquilos, ponen más atención en sus juegos y saben escuchar. Razón por la cual procuraremos introducir en la jornada uno o varios momentos de silencio. Dos o tres minutos son suficientes para obtener un efecto positivo.

Los ángeles son bellos y llevan gorras

«Paz en la tierra —cantaban los ángeles— y a los hombres de buena voluntad.» ¿Qué saben de los ángeles, esos mensajeros de Dios, los niños de cinco a siete años de edad? ¿Qué creen que hacen, dónde viven y qué aspecto tienen? He aquí un ramillete multicolor de representaciones acerca de los seres celestiales.

Los ángeles protegen a los niños.

Son muy bellos y traen muchos regalos.

Los ángeles tienen alas, tienen brazos, cabeza y llevan gorras.

Ángel es una palabra cariñosa que me dice mamá.
Dice «eres mi angelote».

Tienen alas y están en el carro de caballos con el niño Jesús,
sólo que el carro va tirado por ciervos y no por caballos.

Como van descalzos prefieren vivir en África
que hace más calor.

Concedámosles estos momentos de ocio y relajación. He aquí varios ejemplos de cómo practicarlos en cualquier parte y sin necesidad de preparativos complicados.

● *Saludo al Sol y bienvenida al nuevo día* Es una oración, una bendición o un himno, en breve ritual matutino, a celebrar de la manera más sencilla para los niños. Que cada uno hable al Sol en sus propios términos: «Buenos días, Sol. Te doy gracias por tu luz y por acompañarnos a todos, a los humanos, a las flores, las plantas, los árboles y los animales hasta el final de la jor-

Vigilan que no se nos caiga nada en la cabeza
y nos haga daño.

❁

Vuelan por el aire, son ligeros como plumas.

❁

No podemos verlos, pero ellos a nosotros sí.

❁

Podemos hablar con ellos aunque no los veamos.

❁

Cuando no bajan a la tierra, los ángeles vuelan
por entre las nubes y cantan.

❁

Ayudan al niño Jesús y discuten a ver qué niño le corresponde
a cada uno.

❁

Traen suerte y recogen las cartas con nuestros deseos.

❁

Oyen muchas tonterías.

❁

Vuelan por ahí tocando la trompeta.

nada». A continuación, cerramos los ojos y dejamos que la luz solar nos bañe la cara durante uno o dos minutos. E incluso aunque el día esté nublado recibiremos la luz y el calor del astro. Nos damos las manos formando corro alrededor de la mesa del desayuno y recitamos una oda a la mañana por el estilo de:

Sal, sol, solito,
y estáte aquí un poquito
hoy y mañana
y toda la semana.

- **De cómo dar un breve paseo meditativo por la mañana** Caminando despacio, tranquilamente y en silencio. Observamos las plantas, el rocío sobre la hierba, los reflejos del sol y los animales. Más tarde cada uno explicará lo que ha visto.

- **Abrazamos a nuestro niño o niña** Tranquilamente, y durante un rato sincronizamos respiraciones. El efecto sedante es asombroso.

- **Para niños de cuatro a seis años: «Quietos y sentados»** Encendemos una vela, nos sentamos tranquilamente al lado del niño y le explicamos que ahora vamos a disfrutar un rato del silencio. Que normalmente llevamos dentro de nosotros demasiado ruido, producto de los pensamientos, las palabras, los relatos, los recuerdos y las representaciones. Ahora cerramos los ojos, respiramos despacio, inhalando y exhalando rítmicamente, y procuramos permanecer callados, sin pensar en nada, hasta sentirnos interiormente liberados y sosegados. Tratándose de niños, dos o tres minutos de reposo serían ya un excelente resultado. Lo principal es repetir estas sesiones todos los días durante un período bastante prolongado.

- **Nos juntamos para escuchar sonidos** Es un ejercicio de percepción y concentración. Abrimos una ventana o nos sentamos durante una excursión al campo y guardamos silencio, con los ojos cerrados, para escuchar durante dos o tres minutos los ruidos que nos rodean. A ver quién capta el piar de un pájaro, el ladrido de un perro, el rumor de una fuente, las voces de los vecinos, la lluvia sobre el tejado, el motor de un coche que pasa a lo lejos. Por último, comentaremos lo que cada uno ha escuchado.

● **Captar el poder de las piedras** Coleccionamos piedras bonitas y cristales tallados que sean de tacto agradable. Los guardamos en una cestita y la colocamos en medio, puesta sobre una servilleta. Formamos un corro alrededor. Por turno, cada uno cogerá una piedra y la conservará en la mano, sin decir nada, mientras se completa la ronda. Con los ojos cerrados, notamos la energía que irradian las piedras. Al mismo tiempo tomamos nota de otras sensaciones (frío, calor, poca o mucha dureza, cosquilleo incluso) y, finalmente, cambiamos impresiones sobre la experiencia.

● **Breves viajes de fantasía con los niños** Nos sentamos o nos tumbamos cómodamente. Respiración tranquila, ojos cerrados, nos dejamos llevar por el relato, que será breve. Para subrayar el ambiente amigable y tranquilizante podemos utilizar incienso. Evocamos entonces cuadros breves de diversas situaciones, por ejemplo: «En un hermoso día de verano estamos tendidos en un prado y contemplamos las flores, la hierba, las mariposas y los escarabajos. Hace calor y el sol baña todo nuestro cuerpo...». «Paseamos por la playa, sentimos la arena caliente en las plantas de los pies y avanzamos hacia el agua, que está templada, para bañarnos...» «Es una tarde de verano y nos adentramos en el bosque para escuchar el rumor de los árboles y los cantos de las aves sobre nuestras cabezas...» «Viajamos a lomos de un águila muy grande y mientras sobrevolamos la tierra vamos viendo cómo cambian los paisajes...»

● **Explorando el silencio pacífico de las cuatro estaciones** Respirar hondo relaja y libera la mente. Olfateamos las flores del jardín y de los prados, el aroma de los pinares y el de los bosques de hoja caduca. ¿Alguien sabe distinguir los

olores del basilisco, el tomillo, la menta, la melisa y el rome-
ro? ¿Son distintos los olores del otoño y los del invierno?
Mientras olfateamos intercalamos pausas de silencio, para
apurar las sensaciones que luego comentaremos.

- **La comida puede convertirse en una experiencia de silencio** Dedicamos el tiempo necesario a saborear las frutas, las verduras, los zumos, las sopas o el pan. De cada comi-
da podemos hacer una vivencia de sosiego y degustación
lenta. Disfrutar comiendo. Además crearemos un ambiente
acogedor, la mesa puesta con esmero, adornada con flores y a
la hora de la cena, a la luz de las velas.

- **Las estrellas transmiten paz y consuelo** Callamos y nos
reunimos a contemplar el cielo estrellado, a compartir la sensación de infinito. Según el lugar y la época del año incluso
conseguiremos divisar la Vía Láctea. Recitamos en voz baja
mientras escuchamos la música de las esferas: «¿Sabes tú
cuántas estrellas lleva prendidas la carpa azul del cielo?».

- **Silencio y concentración con los números** Entre los
cinco y los siete años de edad los niños ya saben contar. Con
este ejercicio les enseñamos a concentrarse en un tema, y el
tema elegido ahora van a ser precisamente los números. Nos
sentamos cómodamente, respiramos hondo un par de veces y
empezamos a contar de uno a diez. Los niños repiten la
cuenta. Ahora les pedimos que cierren los ojos y traten de
imaginar cada cifra como un personaje. ¿Por qué está gordo
el Señor Cero? El Uno podemos imaginarlo como un rey
majestuoso, o como un hada revestida de larga túnica. El Dos
tal vez se dispone a dar una voltereta. El Tres es un ratón de
biblioteca. Con el Seis sobre el Cuatro ahí tienes tu retrato.

¿Es el Cinco una mujer gorda y el Siete un enanito sabio? ¿Se columpia el Ocho? ¿A qué se dedica el Nueve? ¿De qué hablan el Uno y el Cero cuando se reúnen para formar el Diez? Rehacemos la cuenta de uno a diez poco a poco, tranquilamente y, por último, comentaremos las sugerencias que nos han evocado. ¿Alguien tiene un número preferido? Y así sucesivamente.

● **La luz interior que crece y crece...** Un ejercicio destinado a iniciar en las técnicas de relajación a los niños. Les ayudará a concentrarse y a dominar las emociones. Encendemos una vela y despejamos de muebles una habitación (en la medida de lo posible) para sentarnos en corro sobre almohadones puestos en el suelo. Nos relajamos por medio de unas cuantas respiraciones profundas y cerramos los ojos. Se trata de contemplar la luz de la vela con la «mirada interior». Notamos su luz y su calor en un punto situado en el centro de la frente, entre las cejas. Dejamos que esa luz y ese calor se propaguen hasta nuestro espacio cordial. Que llenen toda la caja torácica, mientras nos decimos para nuestros adentros: «Esta luz brilla y crece cada vez más y más y más. Esta luz es amor, es cariño, y se va dilatando hasta que llena por completo nuestro cuerpo, y la habitación, y la casa con el jardín, y el pueblo, y toda la tierra y los cielos. Nos llena de amor, felicidad y bienestar. Y todos los que se hallan en contacto con ella sienten ese amor, esa felicidad, ese bienestar: nuestra familia, y todos los habitantes del planeta, los animales, las plantas, los minerales, el agua, la tierra, el fuego y el aire. Poco a poco se inicia el reflujo de la luz. La llama se hace cada vez más pequeña y finalmente vuelve a ser del tamaño de la llama de una vela». Entonces les decimos a los niños que la luz del amor habita en nuestros corazones y que lo recordaremos todas las veces que necesitemos amor o que deseemos dar nuestro amor a otra persona.

La gratitud libera el espíritu

La ingratitud es un rasgo desagradable. *El niño desagradecido nunca está contento, y el niño descontento no es un niño feliz.* Hay que prestar atención: cuando reciba pequeños regalos o atenciones, el niño debe acordarse de dar las gracias. Nosotros le explicaremos, en términos adecuados a su comprensión y edad, por qué es tan importante esa pequeña muestra de correspondencia. Que puede consistir, simplemente, en dar las gracias, si la persona está presente, o llamar por teléfono para dárselas, o enviarle un dibujo, una carta o un e-mail. En el primer caso, darlas de palabra, o con un abrazo y un beso. Acerca del agradecimiento dice el psicólogo Koni Rohner:

> **La gratitud tiene un efecto espiritualmente liberador, relaja la mente y origina una sensación de felicidad, lo cual es cierto desde la primera infancia.**

«POR FAVOR» Y «GRACIAS» SON PALABRAS MÁGICAS

Abren los corazones y sirven para que los niños aprendan que no todo les es debido por ser los más guapos. Pero hay que predicar con el ejemplo, es decir, acordarse de darles las gracias cuando sea oportuno, como lo haríamos con una persona mayor:

—Gracias por colgar la chaqueta.

¿Qué necesitamos para vivir en paz?

Las criaturas en edad escolar ¿saben lo que significa convivir pacíficamente? ¿Qué ideas tienen al respecto? Hemos tratado de averiguarlo preguntándoles: «¿Qué creéis que se necesita para vivir bien, llevándonos todos pacíficamente?».

Necesitamos la luz y los árboles para respirar.

❀

El sol y la lluvia para que vivan las plantas.

❀

Ropa que ponernos.

❀

Deportes para estar fuertes.

❀

Sangre en las venas.

❀

Viviendas para no pasar frío.

❀

Unos padres que nos vigilen y que cuiden de nosotros.

❀

Una mamá que juegue con nosotros
y con la que estemos a gusto.

❀

Un papá que gane dinero.

❀

Tiempo para jugar y amigos para divertirnos con ellos.

❀

A Dios, que nos ha dado la vida.

—Gracias por tu ramo de flores silvestres, ¡me ha gustado muchísimo!

—Gracias por tu dibujo. ¡Es muy gracioso! Lo voy a fijar con unos imanes en la puerta del frigorífico. Así lo veré cuando esté en la cocina.

—Te doy las gracias y estoy feliz simplemente ¡porque existes!

LA ACCIÓN DE GRACIAS VESPERTINA

Una tradición que vamos a introducir es que los niños, antes de acostarse, digan una pequeña oración, a elegir libremente. Les preguntamos qué es lo que preferirían agradecer hoy. Ellos contestarán espontáneamente lo que se les ocurra. Nunca les faltan ocurrencias.

—Gracias porque tengo a mamá y a papá, y me quieren.

—Gracias porque hoy salió el sol y pudimos ir a la piscina.

—Gracias, ángel de la guarda, por evitar un día más que me mordiese el perro.

¿Cuándo tuvimos paz en el jardín de infancia?

Hacia el final de la etapa educativa del jardín de infancia y poco antes de que las niñas y los niños empiecen la escuela primaria, formaremos un círculo de sillas y filosofaremos juntos sobre esta cuestión: ¿Qué es la paz? ¿Cuándo hemos convivido pacíficamente? En nuestra mente y nuestras palabras pasaremos revista a los años transcurridos. La educadora resumirá los recuerdos de los pequeños: «Han pasado cosas que os gustaron y otras que no os gustaron. Así es la vida. Esto es lo normal. Cuando hubo paz entre nosotros, constatábamos

Title : Descubrir valores a los ninos /
Author : Stocklin-Meier, Susanne.
Item ID: 30610101052165
Due   : 11/12/2009

Title : Ninos /
Author : Toro, Beatrice.
Item ID: 30610101103984
Due   : 11/12/2009

¿Qué es la paz para los niños de tres a ocho años?
Cuando los niños de estas edades han vivido ya la sensación de armonía familiar y buena convivencia, es fácil ponerse a filosofar con ellos acerca de la paz, lo mismo en el entorno doméstico que en el jardín de infancia. Muchos niños tienen nociones asombrosamente claras e incluso saben expresarlas verbalmente. He aquí algunos ejemplos de respuestas espontáneas sobre la paz:

La paz es compartir juntos la comida.

La paz es lo que hay cuando los futbolistas se llevan bien
y no se hacen daño los unos a los otros.

La paz es no gritarse ni tirarse de los pelos.

La paz es reírse juntos.

La paz es jugar todos juntos y pasarlo bien.

La paz es exclamar «hurra» y dar un salto
de alegría en el aire.

La paz es lo que hago con mi hermano cuando
nos peleamos y luego volvemos a ser amigos.

La paz es cuando nos quedamos todos a escuchar
lo que nos lee mamá.

"qué bien lo pasamos juntos". Y cuando hubo peleas, decíamos "daos las manos y haced las paces"».

La ronda de la conversación termina con la pregunta «¿qué significa para vosotros tener paz?». Y nos quedamos aguardando las respuestas espontáneas de los niños. La sensatez con que incluso los párvulos hablan del tema nunca deja de maravillarnos.

LA PAZ INTERIOR POR MEDIO DE LA RESPIRACIÓN LENTA

Las prisas y el estrés en los puestos de trabajo y en la familia constituyen un mal muy difundido en nuestros días. El hombre moderno va a todas partes con la urgencia, sometido a unas presiones que él mismo se ha impuesto. Hablando en estilo figurado podríamos decir que corre, jadeante y con la lengua fuera, estresándose innecesariamente. En los raros momentos de introspección quizá se pregunta «¿qué fue de mi calidad de vida?».

En la India creen que cada persona, cuando nace, tiene asignado un número de respiraciones. Si las consume con demasiada rapidez, está desperdiciando su vida y no alcanzará una edad avanzada. En cambio, el que respira con profundidad, despacio, marcando un ritmo, tendrá una vida armoniosa y vivirá muchos años con buena salud.

Me agrada esa idea. ¡Dedicar un par de minutos a respirar de una manera más consciente, más correcta, para relajarse interiormente! Debe ser favorecedor para la salud, qué duda cabe. Hace poco descubrí un pequeño ejercicio de respiración que cualquier persona puede practicar con facilidad. ¡Vale la pena intentarlo! Para un buen efecto, es aconsejable repetirlo durante varias semanas, una o dos veces al día.

EL PEQUEÑO EJERCICIO DE LAS 21 RESPIRACIONES

Con este método se facilita la reducción gradual del número de ciclos respiratorios por minuto. Mejora la tranquilidad interior y exterior, lo cual nos permite hacer frente a las situaciones conflictivas de cada día en mejores condiciones. Se realiza de la siguiente manera:

◎ Nos sentamos en postura cómoda.

◎ Miramos el reloj y mentalmente tomamos nota de la hora exacta.

◎ Cerramos los ojos.

◎ Dirigir toda la atención hacia los movimientos respiratorios.

◎ Empieza la cuenta.

◎ Una inhalación y una exhalación componen un ciclo respiratorio.

◎ Trataremos de no alterar el ritmo natural.

◎ Inhalamos y exhalamos del modo que nos resulte más cómodo, según la condición momentánea. Nos limitamos a observar.

◎ A la cuenta de 21 ciclos respiratorios, abrimos los ojos y comprobamos cuánto tiempo ha transcurrido. ¿Un minuto, dos, tres, cuatro? ¿Cuántos ciclos por minuto resultan? Nos abstendremos de realizar ninguna valoración. Simplemente, aceptamos el resultado tal como es. Si se practica el ejercicio una o dos veces al día durante varias semanas, por ejemplo al despertar, en el transporte público, o antes de acostarnos, comprobaremos que poco a poco el ritmo de la respiración se vuelve más pausado y que el tiempo requerido para los 21 ciclos se prolonga cada vez más. Es un ejercicio muy eficaz. Relaja, centra y reduce la vulnerabilidad al estrés incluso en las situaciones difíciles.

Encontrar la paz interior en las situaciones conflictivas

«No dejes para mañana lo que puedas hacer hoy.» El refrán es aplicable, sobre todo, a la resolución de los conflictos: *Si los solventamos cuanto antes, evitamos que se acumulen los agravios y que empiece a girar la espiral de la violencia. Entonces se puede volver a empezar cada jornada sin tener que pensar en cuestiones pendientes.* El trato con los demás se vuelve más franco. He aquí algunas sugerencias del psicoterapeuta suizo Werner Herren para la realización concreta en la práctica:

1. Impóngase la norma de no dejar cuestiones pendientes sin resolver. Pero hay que elegir el momento oportuno y el lugar adecuado. Antes que nada, busque un momento de tranquilidad para reflexionar sobre lo que le interesa exactamente.

2. Si le parece que no va a ser posible despejar la cuestión directamente y a solas con la otra persona, intente recurrir a la ayuda de un mediador.

3. En la conversación utilice «mensajes-yo» y evite los «mensajes-tú». No hay que hablar sino de lo que se sabe por experiencia personal. Los «mensajes-tú» fácilmente se convierten en críticas, reproches y acusaciones.

4. Haga alusión concreta a unas palabras o unos hechos que todavía estén presentes en la mente de la otra persona.

5. Describa lo que crea haber observado y absténgase de juicios de valor. Describa la propia reacción a las palabras o las acciones de la otra persona.

6. Concéntrese en lo útil, es decir, haga referencia, a ser posible, a acciones que la otra persona esté en condiciones de realizar.

7. Diga en qué sentido desea que cambie la otra persona, pero sin formular reproches ni hablar de expectativas fallidas. Es fácil hacer reproches pero no resuelve ningún problema.

8. Entienda que el deseo de «dilucidar la cuestión» no es más que una oferta que se le hace a la otra persona. No podemos forzar ni imponer nuestra solución, porque tal intento conduciría a nuevos conflictos. El otro decidirá si quiere admitir el punto de vista de usted, y además es posible que necesite algún tiempo para recapacitar.

9. Cuando alguien se proponga despejar un asunto con usted, es útil abstenerse de argumentar y de pronunciar ningún discurso defensivo. Limítese a escuchar y solicite las aclaraciones que necesite. A continuación expondrá la cuestión desde su propio punto de vista.

10. Por último, mencionar que en ocasiones puede ser mejor perdonarle a la otra persona, por ejemplo, una negligencia. En ocasiones también puede ser necesario que se perdone usted mismo por un comportamiento o una actitud. Si le resulta difícil perdonar, recuerde la última vez que fue perdonado, cuándo, dónde y por qué.

El amor

El amor es omnipresente, es la vida, la luz, el calor, la alegría, la ternura, la felicidad, la confianza y el amparo. El amor inspira todo lo que somos y hacemos. Es la corriente incesante del Ser divino que recorre eternamente el universo e ilumina nuestro corazón. Para los humanos es el valor ético más importante, el que comprende y resume todos los demás. Lo que significa para los cristianos está recogido en el célebre elogio paulino de la Carta a los Corintios:

➡ El amor es paciente, es servicial; el amor no tiene envidia, no es presumido ni orgulloso; no es grosero ni egoísta; no se irrita, no toma en cuenta el mal; el amor no se alegra de la injusticia, se alegra de la verdad. Todo lo excusa, todo lo cree, todo lo espera, todo lo tolera.

De niños, en la escuela dominical, cantábamos una canción cuyo estribillo decía «Dios es amor y a mí también me quiere». Tenía yo cinco o seis años, y me causaba mucha impresión; yo intuía algo de esa dimensión enorme y me invadía el sentido de lo maravilloso que no se le alcanza al mero entendimiento. Tiene razón Simone Weil cuando escribe:

El amor es la mirada del alma.

Cuando esa mirada cae sobre nosotros, nos sentimos conmovidos y se activa en nuestro interior una serie de resonancias. El amor es tan indispensable para el sano desarrollo de los niños como el alimento y el aire que respiran. Desde que ven por primera vez la luz del mundo y durante muchos años, los pequeños van a necesitar nuestro amor en forma de afecto, cuidados, calor, risas, voz y palabras, contacto visual y contacto epitelial. Educar con amor significa también cultivar amistades, celebrar las festividades del ciclo anual, transmitir tradiciones y rituales, crear un medio ambiente espiritual, dar ejemplo de respeto al prójimo.

Los niños que crecen sin amor enferman física y psíquicamente. Se observan en ellos muchas insuficiencias del desarrollo corporal e intelectual. Rudolf Steiner (1861-1925), filósofo, escritor, pedagogo y fundador de la antroposofía, nos ha dejado este aforismo en *Educar en el amor*:

Recibir al niño con reverencia,
educarlo en el amor,
franquearle el paso a la libertad.

Con una sonrisa trataremos de plantar en el corazón de nuestros hijos la semilla del amor, que regaremos todos los días de ideas luminosas, buenas palabras, canciones, bromas, cuentos y alegre compañía. Con el tiempo, esa semilla florecerá y se desarrollará convirtiéndose en una planta lozana de bellas flores y jugosos frutos.

Cordialidad

Cordialidad

ॐ

Amparo

Amparo

ॐ

Ternura

Ternura

ॐ

Amabilidad

Amabilidad

ॐ

Compasión

Compasión

ॐ

Amistad

Amistad

ॐ

Perdón

Perdón

ॐ

Caridad

Caridad

ॐ

Alegría

Alegría

ॐ

Bondad

Bondad

ॐ

Paciencia

Paciencia

Generosidad

Generosidad

❧

Reverencia

Reverencia

❧

Confianza

Confianza

La vida sin amor queda desierta y vacía

He aquí unas ideas de Günther Lazik sobre la vida sin amor y lo que resulta de ella:

El deber sin el amor enfada.
La responsabilidad sin amor hace los desconsiderados.
La justicia sin amor hace los desalmados.
La educación sin amor hace los rebeldes.
La inteligencia sin amor hace los astutos y maliciosos.
La amabilidad sin amor hace los hipócritas.
El apego al orden sin amor hace los mezquinos.
La sapiencia sin amor hace los pedantes.
El poder sin amor hace los abusadores.
La propiedad sin amor hace los avarientos.
La fe sin amor hace los fanáticos.
La fuerza sin amor hace los energúmenos.
La verdad sin amor hace los vanidosos.
El talento sin amor hace los egoístas.
La sumisión sin amor hace los rencorosos.

Aprender a ver el amor en las pequeñas cosas

El amor no implica necesariamente el sueño de algo extraordinario, único, enorme, inenarrable, etc. *sino que también puede vivirse en las situaciones humildes de todos los días.* Porque el amor también vive de los pequeños detalles amables.

Sentir en la cara el calor y la luz del sol.

❊

Escuchar y absorber el rumor de la brisa en los árboles.

❊

Aspirar la fragancia de una flor.

❊

Contemplar al niño que duerme y se siente perfectamente protegido y confiado.

❊

Andar con los pies descalzos sobre un prado e imaginar, como los indios, que cada paso es una caricia para la madre Tierra.

❊

Andar por una senda de la mano de un ser querido.

❊

Cantar y bailar juntos.

❊

Compartir una manzana con un ser querido.

❊

Escuchar el canto vespertino de un mirlo.

❊

Contemplar los ojos brillantes de un niño.

El triunfo sin amor hace hombres solitarios.
La vida sin amor carece de sentido.

¿Qué significa el amor para los niños de tres a ocho años?
He aquí una pequeña selección de contestaciones a esta pregunta: «¿Qué significa el amor para ti? ¿Cómo lo entiendes tú?».
Si hacemos la prueba de llevar la conversación a ese tema, ellos nos sorprenderán, como siempre, por lo mucho que saben.

Amor es cuando la gente se quiere. Yo quiero a mi mamá.

❋

Amor es cuando el uno le sonríe al otro y le dice alguna palabra amable.

❋

Amor es cuando abrazo a papá.

❋

Amor es cuando tengo a mi gatito en brazos y él ronronea.

❋

Amor es ver con el corazón.

❋

Amor es sentir alegría y que el corazón da un salto.

❋

Amor es tener un amigo.

❋

Amor es «achuchar» un poco a mi hermana.

❋

Amor es compartir mi tableta de chocolate.

❋

Amor es abrazarte a ti.

EL AMOR ES COMO UN DIAMANTE GRANDE

El diamante es costoso y tiene muchas facetas. Para que despliegue su brillo sin mácula hay que pulirlo. Lo mismo pasa con las diferentes facetas del amor: no lucen hasta que les damos pulimento.

Según algunas tradiciones ancestrales, el diamante del amor se cría en nuestro corazón. El amor es algo misterioso que sobrepasa nuestro entendimiento. El amor es energía. El amor nos pone en comunicación con la esfera espiritual. La mística cristiana ha concebido la idea del Corazón de Jesús. Durante la meditación se centra el pensamiento en el corazón y así se intenta que brille el diamante del amor. Los monjes tibetanos comparan sus facetas a las mil hojas del loto y de ahí el conocido mantra *Om mani padme hum*, que podría traducirse aproximadamente como «¡oh brillante divino!, resplandece en mi corazón». Mediante la repetición de estas sílabas sagradas entran en contacto con el amor universal.

Sustituyendo los malos pensamientos por otros buenos

Los pensamientos negativos perjudican nuestra capacidad de amar. Atraen las energías dañinas y éstas, a su vez, conjuran acontecimientos nefastos. Pensamientos como «¡nadie me ayuda!», «estoy sola», «nadie me quiere», «voy a volverme loco», «tengo muy mala cara», «tengo la culpa de todo», no remedian ninguna situación sino que la empeoran. *Los pensamientos guardan una estrecha relación con la autoestima.*

Un sabio hindú le preguntaba a un visitante occidental:

—¿Por qué dais tantos bofetones a vuestro Dios?

—No entiendo esa pregunta —se asombró el occidental, a lo que el santón replicó:

—¿No está escrito en vuestros libros que Dios habló a Moisés desde la zarza ardiente y le dijo «yo soy el que soy»? «Yo soy» es uno de los nombres de Dios. Así que todas las veces que dices «soy bobo», «soy torpe», «soy un caso perdido», estás abofeteando al Dios que vive en ti.

CÓMO SE FORMAN LAS AUTOIMÁGENES NEGATIVAS

Creamos imágenes devaluadas en los niños cuando los censuramos en vez de limitarnos a criticar sus acciones. Por eso no hay que decir nunca:

—¡Eres un desastre!

Es mejor:

—Ya sabes que no me gusta que dejes los zapatos en el comedor, haz el favor de recogerlos.

Abstengámonos de decir:

—No seas tan torpe y coge bien el tazón.

Es mejor:

—Si sujetas el tazón de esta manera te expones a que se te caiga.

Una frase poco meditada puede inculcar una imagen negativa para toda la vida («¡es que soy tan torpe con las manos!»), pero es que además las generalizaciones y el señalar *lo que no debe hacerse* no contribuyen a corregir las conductas ni las actitudes. Es mejor decir positivamente lo que deseamos que hagan, atendiendo a que esté dentro de sus posibilidades.

OLVIDAR LOS MALOS PENSAMIENTOS Y REEMPLAZARLOS POR AFIRMACIONES POSITIVAS

Las afirmaciones son sentencias que contienen un aserto personal. Al mismo tiempo son pautas mentales que, reiteradas muchas veces, corroboran nuestras intenciones de tal manera que se obtenga el resultado deseado en el momento justo.

—Cuento con toda la ayuda que pueda necesitar.

—Me planto en el lugar adecuado en el momento adecuado y voy exactamente al encuentro de las personas que me interesan.

—Estoy fuerte y pletórica de energía.

—Estoy tranquilo, sosegado y contento.

—Soy fuerte y valeroso.

—Soy un ser divino, soy bella y estoy rebosante de seducción.

—Me siento invulnerable, sé que mi buena estrella me acompaña.

—Avanzo alegremente, dispuesto a explorar territorios nuevos para mí.

El que cree en sí mismo y confía en la vida, se desenvuelve mejor en todas las situaciones.

LOS ZURDOS TIENEN DOS MANOS DERECHAS

Una vez, de niña, tuve ocasión de comprobar la fuerza de las declaraciones positivas. Soy zurda y durante mi primer año de colegio, la señorita se empeñó en quitarme la costumbre de escribir con la izquierda. Me ridiculizaba en presencia de las demás niñas y me ponía la izquierda en cabestrillo con un pañuelo, recuerdo, a cuadros rojos y blancos. Eso debía servir para recordarme la obligación de escribir con la «mano buena». Mi abuela me consolaba con el refrán de que «los zurdos tienen dos manos derechas». Esa pauta mental positiva fue mi salvación. La recitaba una y otra vez, para mis adentros, mientras iba a la escuela, y cuando la maestra quería ponerme otra vez en evidencia, yo me limitaba a pensar:

—¡Bah! ¡Si es que no lo entiende! ¡Los zurdos tenemos dos manos derechas!

El amor crece cuando lo regalamos a manos llenas

Este título parafrasea un pasaje de la escritora Ricarda Huch, a quien debemos darle la razón. Más que generosos, hay que ser despilfarradores con nuestro amor. Porque cuanto más lo vivimos y lo derrochamos, más aumenta nuestra capacidad de amar. *Pero el amar y el ser amado forman, desde la infancia, parte de las necesidades más elementales de nuestra naturaleza.* A fin de que los niños se desarrollen hasta la plenitud de unas personalidades psíquicamente sanas, crearemos para ellos un ambiente de buena voluntad, calor y protección, en cuyo seno les sea posible desarrollar su propia capacidad de amar. Tal vez sería buena idea dibujar unos *mandalas* que representen esa flor del corazón, con el diamante en el centro. Cada pétalo de la flor simboliza un aspecto parcial del amor. En el lenguaje figurado de los niños, esto quizá se expresaría así:

- **Alegría** Bailo al son de la música batiendo palmas.
- **Amparo y protección** Papá me lleva a hombros.
- **Cordialidad** Cuando la abuela sonríe siento una especie de calorcillo alrededor del corazón.
- **Paciencia** La gallina incuba muchos días para que salgan los pollitos.
- **Generosidad** En la ludoteca comparto los juguetes con mi amiga.
- **Veneración** Con mamá contemplamos las estrellas del cielo, y me quedo admirada.

Pétalo a pétalo va creciendo la flor a partir del centro donde reluce el diamante. Mientras la dibujamos, aprovechamos la excelente oportunidad para filosofar sobre el amor.

Maria Montessori, pediatra italiana y fundadora de las escuelas del método que lleva su nombre, entendió la relación entre amor y energía espiritual en los niños y escribió al respecto lo que sigue:

➡ Todo trabajo que se hace de acuerdo con las leyes de la naturaleza genera armonía entre los seres vivos, y es una manifestación de la conciencia interior en forma de amor. Los adultos creen que el afecto que el niño manifiesta hacia lo que le rodea forma parte de la alegría y la vitalidad propias de la edad infantil. No comprenden que se trata de una energía espiritual, de la belleza moral que acompaña a toda la Creación.

«El corazón salta de alegría»

El corazón es, seguramente, el más antiguo símbolo del amor. A veces los enamorados graban corazones en las cortezas de los árboles. Un niño pequeño al que preguntamos sobre el tema de la paz contestó: «Cuando hay paz puedo dibujar pequeños corazones». Los amigos y amigas se regalan mutuamente pastas de especias donde dice en letras de azúcar «te quiero». En el poético libro infantil *El principito*, de Saint-Exupéry, el zorro manso incide en esta cuestión cuando le revela este secreto al pequeño príncipe:

> Sólo se ve bien con el corazón,
> lo más esencial es invisible para los ojos.

Los niños entienden esta imagen perfectamente porque todavía están mucho más abiertos que nosotros, los adultos, para lo espiritual, lo invisible y lo fantástico. Los valores interiores no les son extraños.

Los niños dibujan y pintan de muy buena gana y con gran cariño un corazón recortado en cartulina, mientras cantan «quiero a mi mamá, a mi mamá» y «quiero al sol, al sol, al sol». Traducen espontáneamente sus sentimientos en letrillas amorosas y, finalmente, le pegan al corazón una cinta roja y lo cuelgan al cuello de la persona elegida. El corazón regalado adorna a un ser muy querido como mamá, papá, un hermano, el mejor amigo o la mejor amiga, o tal vez a alguien que nunca había recibido un regalo. Éste transmite un mensaje en forma visible para todos: «Alguien me quiere. Tengo un amigo o una amiga que me estima». ¿Quién dejaría de emocionarse? ¿Quién no tendría deseos de participar?

Demostrarle al niño que se le quiere

No es habitual que se transmita a los niños la idea de que son apreciados. Hay que demostrarles una y otra vez que se les quiere incondicionalmente, es decir, tal como son, con todas sus cualidades y defectos. No está de más decírselo de vez en cuando: que estamos agradecidos y orgullosos por tenerlos. Los niños son regalos de Dios. El sabio poeta oriental Khalil Gibran dice:

➡ **Tus hijos no son tuyos, son hijos e hijas del anhelo que el amor tiene de sí mismo. Provienen de ti pero no son tuyos. Aunque estén contigo, no te pertenecen... Puedes dar una morada a sus cuerpos, pero no a sus almas. Porque el alma vive en la residencia del mañana que tú no puedes visitar, ni siquiera en tus sueños.**

Entre nosotros por lo general se valora a los niños en relación con un comportamiento o un rendimiento. Eso no es bueno para ellos, ni para el desarrollo de su autoestima. De ahí la recomendación de transmitirles la idea de que se les quiere tal como son, sin peros ni inconvenientes. Abstengámonos de dirigirnos a ellos con construcciones del tipo «si tú esto... entonces, yo lo otro...». Perjudica al desarrollo de la personalidad infantil el hecho de que todo se haga depender de condiciones, que en realidad no tienen que ver con el valor intrínseco de la persona. Las frases «si tú esto...» coaccionan, amenazan implícitamente con la retirada del afecto. He aquí unos ejemplos:

—Si te portas bien, tendrás tu helado.

—Si no recoges los juguetes de tu habitación me enfadaré contigo.

—Si no dejas de discutir ahora mismo no te querré.

Al escuchar las frases de este tipo, los niños no establecen la relación con sus actos («eso que has hecho está mal»), sino consigo mismos: *«¡Soy malo!»*. La autoestima y el respeto a sí mismos se resienten con ello. Y recordemos que ambas cualidades son imprescindibles para abrirse camino en la vida.

Tal vez estas palabras del escritor ruso Fiódor Dostoievski nos ayudarán a cuidar más nuestras manifestaciones evitando las condicionantes del tipo aludido:

**Querer significa ser capaces de ver a otra persona
tal como Dios quiso que ella fuese.**

Aunque a veces los niños nos irriten, lo que no deja de ser bastante normal, hay que aceptarlos tal como son, ya que la demostración de amor consiste en eso. Y, sobre todo, no colgarles

¿Qué significa para los niños la palabra «corazón»?
Hemos comentado con niños y niñas estas preguntas: «¿Qué es
un corazón?», «¿Qué hace?», «¿Qué sensaciones produce?». Sobre esto dijo el pedagogo suizo Heinrich Pestalozzi:

El corazón confiere color a cuanto el ser humano
ve, oye y sabe.

En las respuestas de los pequeños pensadores y filósofos se intuyen también ideas parecidas. ¡Hay que ver cuánto saben esos
pequeños de tres a siete años!

Hace que corra la sangre para que podamos vivir.

❋

Es el lugar del alma.

❋

Golpea como un martillo cuando estamos muy excitados.

«etiquetas» negativas ni de palabra, ni de pensamiento. Cuando
se nos haya escapado, a pesar de todo, una de esas manifestaciones, nos atendremos a lo que dice esta bonita parábola
oriental:

➡ Un mal pensamiento es como una pluma que cayó al suelo. El
viento se la lleva lejos de nuestro alcance. Entonces. el único remedio consiste en despachar inmediatamente un pensamiento
bueno que la siga. Las dos plumas viajan juntas y la eficacia del
buen pensamiento anulará la del malo.

Cuando dos están enamorados, los dos sienten el corazón.

�֍

Cuando estoy feliz el corazón da saltos de alegría.

�֍

Después de una carrera por el bosque se nos sube a la garganta.

�֍

El niño no tiene a nadie y entonces al encontrar a alguien
que le quiere el corazón se alegra.

✖

Cuando el corazón está triste la persona llora.

✖

El corazón te duele cuando te despides de una persona
a la que quieres mucho y sabes que no volverá porque
se va a otra ciudad o se ha muerto.

✖

El corazón está triste cuando mamá me riñe y salta de alegría
cuando ella deja de estar enfadada.

¿TÚ SABES EN REALIDAD CÓMO TE QUIERO?

Se propone un juego de adivinanza que nos ayudará a mejorar
la autoestima de los pequeños. A los niños les gusta, ¿a quién no
le gustaría saber exactamente cómo le quieren mamá o papá?
Eso sí, acordémonos de utilizar para nuestras comparaciones
imágenes adecuadas a la comprensión del niño. Por supuesto, a
él también le toca el turno de preguntar, ¡y hay que ver las cosas
que se les ocurren! Empieza el juego: «¿A que no sabes cómo te
quiero?», «A ver, ¿cómo?».

—Te quiero más que a setecientos arcos iris.

—Te quiero como a un cesto lleno de cachorrillos recién na-
cidos.

—Te quiero como a un gran molinillo de papel de mil colores.

—Te quiero como a mi osito de felpa, sólo que más.

—Te quiero como a la más grande y la más veloz de las estrellas fugaces.

—Te quiero más que a una corona real.

—Te quiero más que a una joya.

¿QUÉ PREFIERES?

Los niños tienen gran sentido del humor. Para que aprendan a diferenciar, al mismo tiempo, y sepan elegir sus preferencias, les proponemos esta adivinanza que obliga a escoger el «mal menor» entre dos igualmente absurdos. A veces los afectos y las preferencias revisten formas curiosas. El cuestionario debe adaptarse a la edad de las criaturas, y no olvidemos que ellas también tendrán turno de pregunta.

¿Qué prefieres?

—¿Un cocodrilo en la cama o un león en la bañera?

—¿Un crucero por el mar o un viaje a la Luna en cohete?

—¿Pisar una boñiga de vaca o una cagarruta de perro?

—¿Amaestrar pulgas o tocar el piano?

—¿Toparte con un dragón que echa fuego o con un lobo hambriento?

—¿Mostaza en los cabellos o espinacas en los pies?

—¿Congelarte en el sótano o sudar en la azotea?

LOS PEQUEÑOS OBSEQUIOS CONSERVAN LAS AMISTADES

El regalo es un símbolo que dice: te aprecio, para mí vales mucho, quiero darte una alegría. A los niños les gusta sorprenderse mutuamente con pequeños detalles; sobre todo, cuando los regalos han sido ideados e incluso realizados por ellos mismos, como pueden ser: un dibujo hecho con lápices de colores, una piedra decorativa, una concha o una piña recogidas en la última excursión, un ramo de flores silvestres para el centro de mesa, una maceta con unas flores plantadas por uno mismo, una cestita llena de galletas hechas en el horno de casa. Algunos niños sorprenden a sus mayores dedicándoles una canción o unas rimas infantiles. Con esto aprenden que:

◎ Regalar hace feliz al que regala.
◎ Los pequeños obsequios facilitan el trato cordial.
◎ Los regalos hechos por uno mismo refuerzan los lazos de amistad.

¡Estimulemos estos comportamientos infantiles, y procuremos emularlos! Es importante que los regalos no dejen de ser pequeños detalles que los niños (o nosotros) podamos encontrar o construir a coste bajo o nulo, ocurrencias espontáneas y que tampoco requieran un trabajo ímprobo. El propósito a conseguir es *dar una sorpresa agradable y una alegría, sin ninguna ocasión especial o motivo que lo justifique.* Los pequeños regalos hechos con cariño consolidan las amistades. Lo sabía el gran pensador Friedrich Nietzsche cuando dijo:

> **La mejor manera de comenzar la jornada es pensar, en el momento de despertar, si está en nuestras manos darle una alegría a una persona (por lo menos).**

Tratar la naturaleza con amor y cuidado

En el juego con elementos de la naturaleza los niños encuentran gran distracción: con las plantas, las flores y las hojas, o con el agua y la arena, pierden la noción del tiempo. Deben salir en compañía de personas adultas y éstas apoyarán y orientarán las actividades. El que ha jugado en la naturaleza durante su infancia, conserva para toda la vida un cariño a todas las cosas creadas.

Los niños descubren el amor a la naturaleza *acompañando a un árbol a través del ciclo anual.* Hablan con él, lo tocan. Observan cómo le nacen sucesivamente las hojas, las flores y los frutos, y cómo desaparece todo ello de cara a la estación invernal. ¿Quién se tumbará sobre la hierba, al pie del árbol en verano, contemplando las nubes que pasan? ¿Quién observará los seres que pueblan las ramas, la corteza, la tierra entre las raíces: aves, orugas, hormigas, roedores, caracoles, abejas, lombrices, etc.?

Salimos al aire libre en una noche de verano y, sentados en corro, callamos y escuchamos en silencio el canto de las cigarras. Con un poco de suerte, nos darán un gran concierto, tal vez mientras nos tomamos unos sorbos de té del termo y disfrutamos de la sinfonía estival de la naturaleza. Esta experiencia puede suscitar en los niños una sensación de felicidad y estimulará su afecto a la naturaleza.

Cuando *hablamos con las plantas*, viene a ser como ponerles un abono especial, porque nuestra respiración es alimento para ellas. Lo saben las campesinas desde siempre; si preguntamos a una de ellas cómo prosperan tanto los geranios de su ventana, nos dirá con toda naturalidad:

—Porque hablo con ellos.

La tierra es algo más que un factor de la producción, como

dicen los economistas. No faltan pensadores que la consideran un organismo vivo y capaz de sentir y obrar por su cuenta.

Explicarles a los niños que no deben arrancar hojas y quebrar ramas al tuntún. Los árboles son reyes. El tronco es su cuerpo, las ramas son los brazos y la copa es la cabeza, coronada de hojas, flores y frutos. ¡A los reyes no les gusta que les quiten sus atributos!

Al jugar con los elementos de la naturaleza los niños viven experiencias que de otro modo no se hallarían a su alcance. Los tesoros que tocan con sus manos, las hojas, las piedras, las conchas, las piñas, etc., estimulan la imaginación y pueden ser convertidos en juguetes. Al mismo tiempo, se desarrolla en los pequeños el amor y el respeto a la naturaleza y al medio ambiente. Mientras juegan y se ejercitan, captan conscientemente los múltiples cambios de las estaciones. Y cuando amamos algo lo tratamos con más cuidado.

¿Quién no ha tejido con los niños, en primavera, diademas de margaritas, o empalmado tallos de diente de león para formar una cañería, o tallado flautas y pipas de caña?

En verano, ¿quién no ha convertido las amapolas en muñecas, o fabricado coronas de hojas y cestitas de mimbre, o construido en el bosque cabañas para los enanitos?

En otoño, recoger bellotas y castañas es una actividad principal. ¿Quién no habrá fabricado monigotes y espantapájaros? ¿Quién no ha pintado una cara grotesca en la corteza de una calabaza?

En invierno recogemos especímenes de semillas y clasificamos las hojas prensadas del otoño. Convertimos las cáscaras de nuez en barquitas y escarabajos de la buena suerte, y hacemos un Santa Claus de manzanas y nueces. O esculpimos una manzana, antes de comer, con la figura de un cisne, una seta o una corona.

La no violencia

La violencia nunca debe ser el medio para resolver las diferencias con los demás. Vivimos hoy unos tiempos de violencia juvenil y bandas delincuentes. Los niños, aunque sean de corta edad, se enteran a través de los medios de comunicación. En las escuelas cunden las amenazas, las extorsiones, los robos y las palizas, aparte de que existe un clima general de pésimos modales. Recibimos, como si fuesen la cosa más normal del mundo, noticias de muertes, secuestros y torturas en muy diversos escenarios bélicos. En 1993, el Parlamento mundial de las religiones promulgó en Chicago una declaración de ética mundial que deja bien clara la correlación directa entre la paz mundial y una posible victoria de la no violencia:

➤ Que nadie se llame a engaño: sin paz mundial no hay supervivencia para la humanidad. Por eso los jóvenes deberían aprender en el hogar familiar y en la escuela que la violencia no debe ser el medio para resolver las diferencias con los demás. Es cuestión de crear una cultura de la no violencia.

Por eso es tan importante que los pequeños aprendan de nosotros esos valores humanos, la «no violencia» y el «respeto a la vida». La relevancia de este último la subrayó especialmente el doctor Albert Schweitzer en 1913, cuando fundó un hospital en Lambarene (Gabón). El famoso «doctor de la selva» era literalmente incapaz de hacer daño a una mosca. Éstas y todos los demás seres vivos, incluso las arañas, los escarabajos y los mosquitos, en su opinión eran criaturas dignas de ser defendidas. Durante largos años reflexionó sobre qué noción haría posible una actitud positiva de los humanos para consigo mismos y ante el mundo; en 1915, durante una navegación fluvial, se le ocurrió la respuesta: «Respeto a la vida.» En ese valor encontró la clave de sus reflexiones y un lema para su propia actividad. Sobre esta cuestión escribió:

➡ El que reflexiona acerca del mundo y de sí mismo acaba por descubrir que todo cuanto le rodea, las plantas, los animales, sus semejantes, tienen el mismo apego a la vida que él mismo. Una vez entendido esto, no hay más que acercarse a todos ellos con amor. El respeto a Dios, que ha infundido la vida en todos los seres para que cada uno cumpla su misión, debe inspirar el respeto a todos ellos y el deseo de ayudarles a realizarla. Ésta es la conducta que el humano tiene asignada por la Creación, la línea que se le señala para que haga el bien.

Tan pronto como aparezca la violencia, y sin pérdida de tiempo, conviene iniciar el diálogo con los niños, inquirir los motivos y buscar en común las soluciones. Por muy partidarios de la armonía que seamos, no siempre hay que soslayar los conflictos de la vida cotidiana entre los niños, ni evitar juegos espontáneos de rol con alguna demostración de violencia: en los juegos infantiles intervienen poderosas fuerzas curativas. A menudo, los niños no tienen otra manera de desahogar su cólera, su indignación o sus frustraciones, a no ser por medio del juego. En sus fingidas «batallas» reviven, reaccionan y resuelven la agresividad. Es muy grande la diferencia entre el niño que mientras juega con su muñeco le da unos golpes porque tiene celos de su hermanito el bebé, y el que al primer descuido le propina unos coscorrones reales al bebé.

Hemos observado con frecuencia cómo los niños expuestos a la violencia en su entorno habitual, en la familia, o camino de la escuela, o que han padecido acontecimientos impresionantes como una gran tormenta, la mordedura de un perro, una operación, la muerte de un allegado, un incendio, o un accidente de circulación, necesitan expresar ese trauma a través de los juegos para librarse de él. La violencia televisiva, sea de ficción o real como la que vemos a través de los telediarios, también les haría mucho daño psíquico si no contaran con esa posibilidad para exorcizarla. Con frecuencia estos juegos duran varios días, o incluso varias semanas. En ocasiones se observa que los niños reflejan su ansiedad en el papel, una y otra vez, llegando a dibujar el mismo tema hasta cien veces.

La no violencia puede ejemplificarse en muchas facetas:

Espíritu de conciliación

Espíritu de conciliación

Compasión

Compasión

Consideración

Consideración

Cooperación

Cooperación

Indulgencia
Indulgencia

ਣ

Conducta atenta
Conducta atenta

ਣ

Aprecio de los valores
Aprecio de los valores

ਣ

Respeto a la propiedad
Respeto a la propiedad

ਣ

Humanitarismo
Humanitarismo

ਣ

Respeto a la vida
Respeto a la vida

Sostiene la autora Elschenbroich que antes de ingresar en el primer año de la escuela, todos los niños deben haber mediado una disputa al menos una vez y de modo consciente, o evitado deliberadamente una pelea.

Martin Luther King, premio Nobel de la Paz, cree en la visión de un mundo definitivamente pacificado. Para lograrla, encarece esta regla a sus seguidores:

Aléjate de la violencia del puño, de la lengua o del corazón.

Es decir, que la no violencia no pertenecerá a los que maltratan niños, vociferan palabrotas y frases hirientes, o albergan en su corazón sentimientos de odio, envidia y codicia. La no violencia se alcanzará cuando dejemos que el amor, la comprensión, la compasión, el espíritu de concordia, la consideración y la humanidad residan en nuestros corazones. La no violencia es lo mismo que la paz, tal como intentó enseñar la Madre Teresa en la India por medio de su lema:

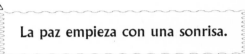

La paz empieza con una sonrisa.

¿Es verdad que la televisión vuelve a los niños violentos y estúpidos?

Por ahora, hay en la tierra tanta violencia, tantos crímenes y tantas guerras, que realmente no nos hace ninguna falta esa «dosis» añadida que introducen los medios de comunicación en nuestros hogares.

Los niños tienen preguntas sobre el sentido de la vida, sobre Dios, sobre otras muchas cosas. Preguntan: ¿por qué fue necesario que esas personas muriesen? ¿Por qué hacen eso los malos? ¿Podría ocurrir aquí, entre nosotros? A veces, los padres y los educadores se ponen nerviosos. Les faltan respuestas para tantas preguntas. Ellos no quieren que los niños se críen medrosos y atemorizados, sino confiados y valerosos. Es inútil tratar de transmitirles la falsa imagen de un «mundo perfecto» (o que alguna vez lo fue). Para crecer mentalmente sanos y fuertes, los pequeños necesitan una ayuda adaptada a los tiempos que corren. Refiriéndose al problema de los efectos de la televisión en los niños y los adultos, el pacifista y budista Thich Nhat Hanh ha escrito en su libro *Tiempo de vigilancia*:

➠ Conectamos el televisor, lo dejamos en marcha y permitimos que otras personas nos persuadan, nos formen y nos destruyan. Cuando nos enfrascamos de esa manera, estamos dejando nuestros destinos en manos ajenas, manos que tal vez son las de unos irresponsables. Hay que estar atentos, a ver qué emisiones perjudican a nuestro sistema nervioso y nuestro espíritu, y qué otras son quizá beneficiosas.

Los científicos señalan que según experimentos realizados por ellos, delante de la pantalla los niños que padecen trastornos graves de la capacidad de relación son incapaces de distinguir entre las agresiones ficticias y las reales. La imaginería violenta se traduce entonces en acciones reales, sin que intervenga el freno de la inhibición. La situación se vuelve catastrófica cuando los niños interpretan las secuencias «mortíferas» de la televisión como la manera «normal» de ventilar los conflictos en la realidad.

LOS «MANIPULADORES DE TECLADOS» Y LA INFLUENCIA DE LOS MEDIOS

Hoy los niños se crían de una manera muy diferente, en comparación con otras épocas. Una de las diferencias, y no la menos significativa, es que las actividades lúdicas espontáneas sufren una intensa competencia por parte de los medios. Los críos de hoy son unos «niños mediáticos» y más exactamente «niños manipuladores de teclados». Todavía no asisten a la escuela, y ya han aprendido a proporcionarse distracción pulsando una tecla o un botón: el reproductor de CD o de casetes, la consola de videojuegos, la televisión, el vídeo, el reproductor de DVD e incluso el ordenador doméstico están a su disposición, listos para funcionar. ¿Qué consecuencias tiene esto? Los niños están pendientes de las pantallas, convertidos en espectadores y consumidores pasivos. Se «tragan» todo lo que ven: las viejas películas del Oeste, la publicidad, las comedias de enredo, las tertulias, las películas de animación y las series policíacas. En ausencia de criterios estrictos sobre los horarios, van acumulando horas y más horas de pantalla. La cuestión ya no es *los niños ante el televisor, ¿sí o no?*, sino otra más adecuada: *Cuándo, cuánto y sobre todo, qué.* Si pasan demasiado tiempo delante del televisor o del ordenador, en detrimento de otras actividades, ello puede ser perjudicial para el desarrollo del niño.

Un maestro preocupado, que conoce por experiencia propia cómo perjudica la televisión a los niños, escribió una carta al periódico *Die Zeit*: «Calculo que gracias a la consola de videojuegos y al ordenador, la generación urbanícola que se está criando actualmente habrá pasado todos los días de seis a siete horas con la vista fija en una pantalla, lo que significa drástico aumento del sobrepeso, de los trastornos del habla, de las dificultades de percepción, y no menos drástica reducción del vocabulario».

A comienzos del siglo pasado, el literato francés Marcel Proust reflejó sus recuerdos autobiográficos en el ciclo novelístico titulado *En busca del tiempo perdido.* Hoy, casi cien años después, los pedagogos también buscan una dimensión perdida, la «tercera dimensión del juego». La encontramos casi exclusivamente en los niños de muy corta edad. Los demás dedican casi todo su tiempo libre a contemplar las imágenes bidimensionales de las pantallas de televisores y ordenadores. ¿Todavía es posible hacer algo?

El juego como alternativa al consumo mediático

Los expertos dan voces de alarma, los pedagogos se lamentan y los padres no saben a qué atenerse. Sin embargo, ellos, los padres,

«Derrumbamiento de las dos torres»

El paroxismo de violencia del 11 de septiembre de 2001 ha cambiado muchas cosas. Durante varias semanas, las criaturas del jardín de infancia se dedicaron a juegos de su invención llamados «Bin Laden» y «La caída de las torres». Por fortuna, los niños pueden recurrir al juego para asimilar los acontecimientos dramáticos. En los dibujos que realizaban también apareció muchas veces el motivo de las dos torres en llamas y traspasadas por los aviones. Evidentemente, los pequeños sentados delante de los televisores en sus casas lo habían visto todo. He aquí sus respuestas a la pregunta «¿cómo pudo ocurrir lo de las dos torres?».

Ha pasado una cosa muy mala.

❊

Las dos torres cayeron porque las rompió un avión.

❊

Murieron mil personas.

❊

Los malos lo hicieron adrede porque no tienen dinero y quieren tenerlo pero ellos también murieron.

podrían hacer mucho para contrarrestar la hegemonía de los medios de comunicación. El juego es la alternativa más importante frente al consumo mediático. Fomentar toda clase de juegos y actividades alternativas en la familia es mejor que limitarse a prohibir el uso del televisor.

◎ Dentro de la vivienda, facilitar posibilidades de distracción: juegos, dibujo y pintura, lectura, bricolaje, construcción, práctica activa de la música.

◎ Los niños deben participar en los pasatiempos de sus progeni-

Todo ha sido un truco para matar a muchas personas.

❊

Chocaron con los aviones contra dos torres muy altas.

❊

A los pilotos los mataron a tiros.

❊

Querían que muriesen muchas personas, todo lo demás
les da igual.

❊

Las personas que iban en el avión llamaron a casa para hablar
con su marido y luego, ¡blam!, murieron.

❊

Los hombres saltaban desde la azotea.

❊

En la radio dieron luego música triste.

❊

También hay personas que se han alegrado mucho.

❊

¿Por qué se empeñan los malos en matar a otras personas?

tores, siempre que sean actividades manuales o de tipo práctico, y que les parezcan interesantes.

◉ Fomentar las excursiones en bicicleta, los paseos, correr, jugar al aire libre. En verano, aprovechar todas las ocasiones que se ofrezcan para bañarse en el mar. En invierno, practicar los deportes de la nieve. Todo el año, frecuentar las piscinas cubiertas.

◉ Visitar con los niños toda clase de actos culturales y deportivos, en especial las exposiciones interesantes, las funciones de teatro infantil, las películas que sean adecuadas: ¡el cine puede ser también una alternativa a la televisión!

Cómo debería estar hecho el mundo

Al mismo grupo de niños que comentó lo acontecido el 11 de septiembre de 2001 se le propuso esta otra pregunta: «En vuestra opinión, ¿cómo debería funcionar el mundo?». Los niños formularon con bastante unanimidad sus deseos de un mundo pacífico y libre de violencias. Recordemos de paso estas reflexiones de un indio mohawk de Norteamérica:

> La paz no es únicamente lo contrario de la guerra. No es sólo el tiempo que media entre dos guerras. Es mucho más, es la ley de la existencia humana. Existe la paz cuando obramos bien y cuando hay justicia entre todos los humanos.

He aquí las respuestas de ese grupo de niños y niñas de cuatro a seis años:

Que nadie mate a nadie.

Que nadie tenga malos pensamientos.

◎ Celebrar con juegos interesantes las festividades y fechas señaladas de la familia.

¿Son malos los niños agresivos?

Cuando un niño golpea a otro no es que se proponga ser malo. En tres de cada cuatro casos la agresión física es su modo momentáneo de establecer contacto. El que pega es un niño asustado que se defiende. No se trata de hacer daño, sino de *la reacción ante un estado de ansiedad*. Los padres o educadores intervendre-

Que el mundo sea un lugar tranquilo.

❀

Que todas las personas estén alegres.

❀

Que nadie en Europa diga malas palabras ni en otros lugares
tampoco.

❀

Que nadie haga enfadar a nadie.

❀

Que los malos entren en razón.

❀

Que el «cajón del odio» que la gente lleva en el corazón
permanezca cerrado para siempre.

❀

Que mamá y papá vivan muchos años.

❀

Que se acabe el paro y todos tengan dinero.

❀

Que no pase nada peligroso.

mos, pero sin moralizar, a ser posible, ni acusando con expresiones del tipo «vas a hacerle daño», «eres malo», «te estás portando muy mal», «lo has hecho adrede».

Probablemente el niño está haciendo lo único que sabe hacer en ese momento: patalear, pegar o morder.

Si captamos correctamente la situación, evidentemente habrá un cambio cualitativo de nuestra actitud ante el niño. Sin perder la calma, haremos que comprenda cómo entre nosotros rige la norma: *¡Quieto! ¡Aquí no pegamos!*

Cuando observemos que una disputa ha llegado a las manos, hay que intervenir sin pérdida de tiempo. Sujetamos del brazo al agresor, lo retenemos con fuerza mirándolo cara a cara, y le decimos con voz firme aunque en tono amable:

—¡Quieto! ¡Aquí no pegamos!

Con esto nos abstenemos de atacar verbalmente al pequeño púgil. No le hablamos con agresividad, no lo humillamos con insultos. Simplemente, le recordamos que hay una regla: «Entre nosotros no se pega a nadie». El niño acabará por comprender esa norma, aunque tal vez necesitará algún tiempo para ello. Aprenderá a resolver los conflictos por otras vías: cómo se cumplen las reglas, cómo se negocian, cómo se llega a compromisos practicables, cómo se resuelven las situaciones mediante el diálogo. Aprenderá a pedir disculpas cuando hace algo mal. Por tanto, las personas adultas no deben caer en ninguna provocación, sino mantenerse ecuánimes pero manteniendo las normas con determinación.

EL CHIVO EXPIATORIO

Conviene que los padres y los educadores se observen a sí mismos y permanezcan atentos a su propia conducta, a fin de cobrar conciencia de cómo actúan en las situaciones conflictivas con los niños. ¿Qué hacemos habitualmente: intervenir o practicar el *laissez faire*? ¿Somos coherentes a la hora de imponer normas? ¿Somos propensos a vociferar? ¿Nos enteramos realmente de los motivos que han propiciado una mala acción, a fin de repartir las sanciones con justicia? ¿Tenemos en cuenta que el comportamiento de un niño refleja la mejor línea que se le ocurre en ese momento a él? He aquí un ejemplo típico de la vida cotidiana:

El pequeñín simpático y el primogénito mal intencionado: El hijo mayor está discutiendo con el benjamín, que chilla como si lo estuvieran destripando. Cuando los padres acuden a toda prisa llevan en su mente estas ideas: «el pequeño es tan dulce y tan desvalido...», «el mayor es un abusón...». Al pequeño lo cogen en brazos y lo consuelan, y el mayor recibe la reprimenda:

—¡A ver si dejas en paz a tu hermano, o de lo contrario...!

Sin embargo, el «culpable» no podía actuar de otra manera. Está desbordado por la situación y trata de llamar por todos los medios la atención de los progenitores, mientras éstos sólo hacen caso del pequeño.

«¿QUÉ NECESITAS?»

En la experiencia cotidiana del educador o educadora se presentan con cierta frecuencia situaciones en que uno se echa las manos a la cabeza y exclama: «Y ahora, ¿qué hago?». No es fácil asumir ese desvalimiento, pero hay que aprender a soportarlo porque no siempre se descubre enseguida la solución a todos los problemas.

Muchas veces, el mismo niño nos da la solución. Cuando nosotros preguntamos «¿qué hago ahora?, ¿qué voy a hacer contigo?», él siente que es tomado en serio. *Ante la indecisión del adulto, no pocas veces el pequeño ofrece buenas soluciones.* He aquí un ejemplo del jardín de infancia. Las preguntas de la educadora suscitan una solución posible.

Una niña pregunta si puede jugar en la parte de atrás del jardín, que linda con un bosquecillo. La educadora contesta:

—No puedes. Quédate a mi lado. Ya sabes que desde lo de la última vez, no me fío de ti.

La niña lo recuerda perfectamente.

—Me subí a un árbol muy alto, y eso que lo tenía prohibido.

La educadora pregunta:

—¿Y qué hago yo contigo ahora?

La pequeña propone:

—Deja que vaya y te prometo que no me subiré a ningún árbol.

Cavaré hoyos en la tierra y buscaré por el suelo las avellanas que se les caen a las ardillas.

A lo que la educadora cede:

—Está bien, te daré una oportunidad más.

La niña, radiante, vuelve a prometer:

—Palabra que no treparé a ningún árbol.

Y desaparece hacia el bosquecillo. Con esta negociación ambas, niña y educadora, han alcanzado una solución y ambas han conseguido algo.

«¡OJALÁ NO HUBIERAS NACIDO!»

Las expresiones de este tipo constituyen un signo de violencia verbal en la familia. Lamentablemente, en las instituciones tampoco es infrecuente que se maltrate a los niños de palabra. El tema de la violencia verbal es de actualidad pero, según parece, muchos educadores y enseñantes aún no se han concienciado. Hay que tener cierta valentía para encarar el recuerdo de las ofensas verbales que recibimos en nuestra infancia... y que todavía duelen. Pero es bueno recordarlo para que la historia no se repita con nuestros propios hijos. Esta cita del Talmud nos enseña la fuerza de los pensamientos, las palabras y las acciones:

Ten cuidado con tus pensamientos,
porque de ellos resultan tus palabras.

~

Ten cuidado con tus palabras
porque de ellas resultan tus actos.

~

Ten cuidado con tus actos,
porque de ellos resultan tus costumbres.

Ten cuidado con tus costumbres,
porque de ellas resulta tu carácter.

~

Ten cuidado con tu carácter,
porque de él resulta tu destino.

A veces se oyen frases como: «Ojalá no hubieras nacido», «Hijo mío, no sirves para nada», «¡Como vuelvas a decir eso te ahogo!», «¡Si vuelves a hacerte pipí en las sábanas te tiro por la ventana!». Para el destinatario, viene a ser como si se hubiese cortado con un cuchillo: la cicatriz permanece. *Esto es, y que nadie se llame a engaño, violencia verbal, una manera de maltratar a los menores como cualquier otra, pero que lamentablemente no llama tanto la atención.* Muchos soportan toda la vida las secuelas de observaciones del tipo:

—Tu difunto hermano no se habría atrevido a hacer algo así.

—No eres más que una niña.

—Chico, no se puede esperar nada mejor de ti.

En el fondo, los pequeños no saben a qué vienen semejantes insultos. Pero la autoestima queda por los suelos. Son piedras con las que tropezarán en todo el camino de sus vidas.

● **Palabras de efecto hipnótico, o la profecía que se realiza a sí misma** Muchos estudios han demostrado que el efecto de estas expresiones sobre el niño no queda confinado al malestar momentáneo. Tienen una especie de efecto hipnótico y siguen actuando en el inconsciente. Y como el espíritu de los pequeños anda siempre ocupado con la cuestión «¿quién soy yo?», todas las sentencias que empiecen por las palabras «tú eres... tal cosa» les causan una impresión extraordinaria. Son como etiquetas que nos han pegado, cajones en que nos han clasificado, estampillas que nos han colocado indeleblemente. *La impronta es tan poderosa que orientará en adelante el desarrollo de la criatura.* El niño calificado de tonto mientras hace los deberes en su hogar, o desafiado a intentar cualquier cosa con las palabras «¡no lo conseguirás nunca!», tiende a obtener resultados que corroboran lo que se le ha anunciado previamente. Así lo ha señalado el pedagogo y escritor suizo Jörg Jegge en su libro *La estupidez se aprende.* El niño que ha sufrido la violencia verbal suele ponerse a la defensiva, actitud que le vale calificaciones de hipócrita o de ser un «las mata callando». El rendimiento escolar decae. No se excluyen consecuencias extremas como la depresión, las adicciones o el suicidio.

En vista de lo cual, se impone la pregunta: ¿por qué dicen los padres semejantes cosas? *A menudo, no es más que la repetición de las que ellos mismos oyeron cuando eran niños.* No conocen otra cosa; tal vez creen que es así como se cría a los hijos «normalmente». Lamentablemente, no se enseña en ninguna escuela ni academia cómo deben comportarse los progenitores con sus hijos, así que no contamos con otro modelo sino el que nos ofrecieron nuestros propios padres. Por otra parte, hoy día se les exige mucho a los niños. El estrés escolar y el escaso trato humano que ofrece la «familia nuclear» son factores agravantes, sobre todo cuando los mayores atraviesan alguna situación crítica. A veces no parece sino que andan buscando algún pretexto para desahogarse, sea de palabra, sea de obra.

¿Cómo desahogar los enfados?

He aquí algunos consejos que tanto adultos como niños pueden practicar inmediatamente, cuando noten que crece dentro de ellos la cólera. En los momentos de tensión es fundamental desahogarse desconectando brevemente. De esta manera se crea un espacio aislante entre el impulso colérico y la reacción de «contragolpear», sea con palabras, sea con los puños. Por breve que sea la interrupción, surte su efecto. Como puede ser, por ejemplo:

◎ Respirar hondo tres veces seguidas, soplando al exhalar el aire como si quisiéramos alejar la rabia.

◎ Contar mentalmente hasta tres antes de replicar.

◎ Tomarse un vaso de agua.

◎ Salir un instante de la habitación, con lo que se crea una distancia material que va a durar unos momentos.

◎ Tumbarse unos minutos en el suelo, en postura de decúbito supino, para relajarse.

◎ Dar una vuelta a la casa corriendo, o salir a dar un breve paseo.

◎ Garabatear con rabia en una hoja de papel, rasgar la hoja en mil pedazos, echarlos al inodoro y accionar la cisterna.

◎ Describir nuestro estado de rabia en una hoja de papel, pegarle fuego y aventar la ceniza por el jardín.

◎ Asear la habitación o limpiar los cristales de las ventanas.

◎ Amasar harina con levadura y preparar una trenza para el horno.

◎ Clavar un clavo en una tabla.

◎ Escuchar música sedante, o si entendemos algo de percusión, tocar un rato los bongos.

◎ Poner un pasodoble y bailarlo.

◎ Premiarse con un regalo: tomar un relajante baño de sales, ir a la peluquería, poner un bello ramo de flores, leer un libro, encender una vela, dar un paseo en bicicleta, cantar o silbar una cancioncilla.

◎ Los pequeños «enemigos» se reconcilian dándose las manos y vuelven a jugar juntos.

QUE LOS ADULTOS APRENDAN A PEDIR PERDÓN

En caso de que se produzca, a pesar de todo, la expresión de cólera en forma de palabra o de obra, hay que explicar el caso y pedirle disculpas a la criatura. En la medida de lo posible, recurriremos a los «mensajes-yo» y evitaremos los «mensajes-tú». No diremos «es que eres muy desordenado», sino «es que me molesta el desorden de la habitación». ¿Por qué? Pues porque el «mensaje-tú» le comunica al niño la sensación de estar siendo atacado y devaluado en su persona. Se le sugiere una imagen negativa de sí mismo. En cambio, el «mensaje-yo» sólo transmite lo que digo que me molesta, o la norma que no se ha cumplido. Este tipo de mensaje se acepta mejor.

Como queda dicho, si alguna vez se nos escapa la mano (hay que hacer mucho hincapié en lo de *alguna* vez), pediremos perdón y explicaremos qué es lo que nos ha enfadado tanto. *Pero si nos pasa más de una vez, esto de recurrir a la violencia cuando nos hallamos en una situación de estrés, entonces somos nosotros los que necesitamos ayuda profesional, y no deberíamos avergonzarnos de solicitarla.*

Discutir con ecuanimidad es algo que se aprende

Los niños pelean o se «encabritan» por muchas razones: rabietas, rivalidades, afán de dominación o de prestigio en el grupo, o porque están pasando por la fase de autonomía, es decir, la edad de la tozudez, o por otros motivos.

● **Los celos** a Kevin se lo están comiendo vivo.

—A mí no me cae bien el bebé, todo el mundo viene y le dice «cuchi-cuchi» y «pequeñín», y a mí, ni media palabra. Por eso le he mordido la pantorrilla a la tía Emilia que nos ha visitado hoy, ¡caramba con el dichoso bebé! ¡Y para colmo, mamá me riñe y me envía a mi habitación!

Nota: Kevin precisa con urgencia un poco más de atención y demostración de afecto por parte de sus padres.

● **La impaciencia** de la hermanita es la causa de que las partidas de parchís acaben siempre como el rosario de la aurora. Ana llora:

—¡Es que Erika no tiene nada de paciencia!

Cuando el dado no saca los puntos que Ana necesita para ganar, la pequeña se enfada, echa el tablero y las fichas al suelo, y luego berrea y patalea. Entonces Ana se disgusta muchísimo porque de esta manera no consigue terminar bien ni una sola partida. El enfado de la pequeña es debido a que el juego y sus reglas todavía sobrepasan un poco su entendimiento.

Nota: Algunos padres creen que es muy importante que los niños aprendan a perder en el juego, porque la vida es dura y ésa es una de las enseñanzas que van a necesitar. Esa actitud es contraproducente. Muchos adultos son malos perdedores porque han sufrido demasiadas derrotas durante su infancia, así en los juegos como en la vida cotidiana. Por eso conviene tener mucho cuidado con los juegos que implican victoria para un bando y derrota total, sin paliativos, para el otro. En cualquier caso, procuraremos conceder abundantes victorias a los más pequeños, de vez en cuando, para que empiecen a cobrar seguridad. Más adelante, cuando ya estén avezados, se encontrarán en condiciones de tolerar alguna que otra derrota.

● **Demasiada diferencia de edad** El hermano mayor está muy distraído construyendo un castillo de bloques de madera. El pequeño todavía está en la edad de los que disfrutan rompiendo todo lo que cae en su poder. La pelea está prácticamente programada.

Nota: En este caso y otros parecidos, hay que defender al mayor frente a las incursiones del benjamín, y que aquél no se vea molestado. Tal vez sugerirle que juegue en otra habitación, o sobre la mesa, adonde no llega con las manos el pequeño.

● Aún no han aprendido a repartir

—¿Por qué he de ceder yo siempre? ¡Mi hermano se lleva mis juguetes!

Nota: Si vamos a intervenir en este conflicto, es obligado escuchar por igual a las dos partes. Entre todos buscaremos soluciones satisfactorias, sin olvidar que antes de los tres años de edad va a ser muy difícil que los pequeños tengan conciencia de la necesidad de repartir, y siempre se les antoja precisamente lo que tienen los demás.

● La edad de la obstinación

Papá está cuidando a Sara porque mamá se fue a la peluquería. Por algún motivo, Sara coge una rabieta, se arroja al suelo pataleando y chilla sin parar. El padre dice:

—Ven, salgamos a dar un paseo en el coche y tomaremos un refresco.

Al anochecer, Sara sonríe jubilosa mientras le cuenta a su madre los acontecimientos del día:

—Sara llora, papá pasea en coche, ¡Sara y papá tomar limonada!

Nota: A ser posible, es mejor no ceder ante las rabietas. Mantener una actitud de firmeza y determinación, coger a la criatura en brazos en actitud protectora hasta que se haya calmado. También se puede tratar de distraerla improvisando un juego. No conviene ceder, porque si el crío se da cuenta de que las rabietas «tienen premio», no habremos conseguido sino incentivar esa conducta.

LOS CONFLICTOS ESTÁN PARA RESOLVERLOS

Las discusiones en la familia, entre hermanos por ejemplo, o en el jardín de infancia, son perfectamente normales. Todos los niños se pelean. Así aprenden a imponerse mediante la dialéctica, a ventilar rivalidades, a ser precavidos y considerados, a ayudarse mutuamente. Con el tiempo, los niños comprenden que *todo conflicto plantea un problema que reclama solución y que generalmente la tiene, si las partes desean ponerse de acuerdo.* Es decir, aceptan que el conflicto no es nada intrínsecamente malo, sino un fenómeno corriente en la vida siempre que entran en relación varias personas, cada una de ellas provista de sus opiniones, sus deseos y sus necesidades. Ni que decir tiene que los conflictos no pueden resolverse si cada uno se encastilla en sus puntos de vista.

Los comportamientos deseables de los niños se refuerzan mediante elogios y premios. Los indeseables se ignoran siempre que sea posible. La psicología nos asegura que *el refuerzo positivo es más eficaz que el castigo.*

LOS ADULTOS ANTE LOS CONFLICTOS INFANTILES

Las peleas entre niños son normales. Se trata únicamente de adoptar un criterio ante ellas. ¿Qué esperamos de los niños? Tal vez ayudarán a dilucidar la cuestión estas palabras del sabio chino Confucio:

Cuando comprendemos con amor,
eso es la no violencia.

~

Cuando nos impacientamos aunque sólo sea un momento,
eso puede destruir toda una vida.

Dejaremos que los niños *lleven adelante* su discusión, estaremos presentes pero absteniéndonos de intervenir a no ser para ayudar. He aquí algunas sugerencias para solucionar los conflictos infantiles:

◎ Si vamos a intervenir en el conflicto, es menester que ambos, el «agresor» y la «víctima» reciban la misma atención por nuestra parte. ¿O tal vez esos roles no están siempre tan claros como nosotros creemos?

◎ De común acuerdo tratamos de solucionar las cuestiones del tipo «¿qué hacemos ahora?», «¿qué os parece? ¿cómo podría resolverse esta cuestión?».

◎ Que cada uno de los «gallos de pelea» se tranquilice y luego explique las causas de la pelea.

◎ Los «casos difíciles» no se discutirán en caliente, sino cuando los ánimos se hayan calmado un poco.

◎ Hay que evitar que los niños desarrollen pautas del tipo «cuando me porto bien nadie me hace caso, en cambio cuando alboroto y me pongo "borde" consigo lo que quiero».

LAS COSAS FEAS, A LA PAPELERA

Este juego lo aprendí en un jardín de infancia pero también puede adaptarse al entorno familiar. Es un ejercicio estupendo de resolución de conflictos sin violencia. Se forma un corro de sillas y la papelera se coloca en el centro. Entonces, los niños echan verbalmente a la papelera todas las cosas que les hayan molestado en el decurso de la jornada, como «golpes», «gritos», «exclusiones del grupo», y también todas las palabras feas. Participan todos, pero no se cita ningún nombre. Es interesante observar que muchas veces es el mismo niño ofensor quien arroja su propio comportamiento. Sacamos la papelera llena por la ventana y arrojamos todas esas cosas feas, ¡que se las lleve el viento! Y cerramos la ventana rápidamente, no sea que quieran entrar otra vez. Esta operación la entienden incluso los niños que no hablan nuestro idioma. Con el tiempo, la papelera será cada vez menos necesaria y se establecerá una convivencia armoniosa.

Perdonarse y reconciliarse también forman parte de una buena cultura de la discusión. En esto como en otros muchos aspectos, los niños se fijan en nuestro ejemplo. *Es preciso desarrollar con ellos unos rituales, adaptados a su edad, por supuesto, que faciliten la finalización de las disputas.* Como dice un viejo proverbio:

> El que perdona, pone en juego los medios que nos permiten vivir en paz y hacen posible conocerse y elevarse uno mismo.

◎ Darse un breve abrazo y decir «todo arreglado».

◎ Para sellar la reconciliación, sorprendemos al oponente con un pequeño obsequio hecho por nosotros mismos.

◎ Muchas veces, los niños después de pelearse vuelven a jugar pacíficamente juntos sin que haya mediado ninguna persona adulta. Es un comportamiento típico de los de muy corta edad, y parece preferible que las personas mayores se abstengan de interferir en esa conducta natural. Los amigos que vuelven a jugar juntos no se guardan ningún rencor: la reconciliación es auténtica.

◉ Con mucha frecuencia, la suspensión de las hostilidades no pasa por que uno de los protagonistas pida perdón, sino que la mutua «satisfacción» de ambas partes indica el momento en que se ha quitado hierro a la situación.

La no violencia en el trato con los animales

Las ideas, los actos y los sentimientos conformes al lema de «respeto a la vida» evidentemente se aplicarán al trato de los niños con los animales. Wilhelm Busch, el creador de *Max y Moritz*, nos enseñó que para el no violento, el mundo entero es su familia:

> Estoy en armonía espiritual con todas las criaturas.
> Intuyo que todos somos parientes,
> y por eso las quiero a todas.

Y el escritor ruso Liev Tolstói nos advierte con palabras proféticas:

> Mientras haya mataderos, habrá guerras.

Si nuestros hijos rechazan la carne, algo muy frecuente en los niños de corta edad, no les obligaremos a comerla. Según el mismo Tolstói, los vegetarianos de todo el mundo realizan una aportación importante a la causa de la paz y la no violencia en el planeta. He aquí algunas sugerencias sobre el trato con los animales.

◎ No hay que aplastar ningún bicho, aunque sea pequeño y pertenezca al género de gusanos, mariposas, escarabajos o caracoles.

◎ Cuando veamos un animal en apuros, salvémoslo si es posible. Al caracol que cruza la carretera lo depositaremos en la hierba del prado vecino. A la mariquita que se ha caído al agua, le tenderemos una ramita o una caña delgada. Al pájaro que se nos ha colado en la habitación, le abriremos la ventana de par en par.

◎ No hay que atormentar a los animales, y esto es algo que los niños deben aprender: no patear al perro, ni tirar del rabo al gato. En cuanto a las aves, limitarse a contemplarlas y no robarles los nidos.

◎ En un rincón de nuestro jardín dejaremos que crezcan las ortigas que sirven de alimento a las orugas de las mariposas.

Vivir los valores con los niños todos los días

¿Qué relación hay entre los días de la semana y los planetas? Los nombres de los días ocultan los de los siete planetas conocidos desde la Antigüedad, con las propiedades que se les atribuían. Para muchos de nosotros, las palabras lunes, martes, etc., no son más que sonidos desprovistos de otro significado. Las utilizamos todos los días, pero las desconocemos. Según los idiomas, la atribución tradicional se percibe más o menos:

- ◎ *Lunes* era el día consagrado a la Luna, el planeta de la sensibilidad.
- ◎ *Martes* guarda relación con Marte, el planeta de la guerra.
- ◎ *Miércoles* es el día de Mercurio, dios del comercio y de la elocuencia.
- ◎ *Jueves* era el día consagrado a Júpiter, *dies Jovis, Donnerstag* en lengua germánica por Donar, dios cuyo atributo como el de Júpiter era el trueno.
- ◎ *Viernes* era el *dies Veneris* consagrado a Venus, la diosa de la belleza, homóloga de Freya entre los germánicos, de ahí *Freitag* y *Friday*.
- ◎ El *sábado* estaba dedicado a Saturno, de donde *Saturday*.
- ◎ *Domingo* es, obviamente, el día del Sol, *Sonntag, Sunday*.

Los días de la semana pueden servirnos de ayuda y recordatorio para el ejercicio de determinados valores en la vida cotidiana. Teniendo en mente esta sencilla pauta, nos resultará más fácil volver una y otra vez a ella para que los niños adquieran poco a poco esos valores humanos que son la paz, el apego a la verdad, el amor, el obrar correctamente y la no violencia.

Sugerencias para la práctica

¿Qué relación hay entre los días de la semana y los valores humanos? Los días de la semana, en virtud de las fuerzas planetarias que los habitan, nos recordarán diariamente qué valores humanos introduciremos de una manera lúdica en el quehacer habitual de los niños.

Para interiorizar los valores, lo primero que necesitan los niños es acumular experiencias. Ésa es la base sólida para construir nociones diferenciadas. Cuando hacemos una cosa determinada durante muchas semanas seguidas, acaba por establecerse un automatismo.

Para trabajar los valores de una manera consciente, se necesita:

◎ Aprender a vivir los sentimientos y a reconocerlos,
◎ dominar el lenguaje,
◎ saber entender y aplicar normas y
◎ aceptarse a sí mismo y aceptar a los demás.

Para los niños es largo el recorrido del «yo» al «tú» y de éste al «nosotros»; en cuanto a la adquisición del idioma, equivale a otro recorrido, el que media entre el balbuceo del bebé y la enunciación de frases complejas. La comprensión lingüística y la competencia social son presupuestos básicos para el trato consciente con los valores éticos. Los padres y los educadores que tienen experiencia saben que la educación ha de ser integral. Es decir, que los principios y los valores se asimilan a través del cerebro, del corazón y de las manos. Para empezar, sin embargo, lo más sencillo y aconsejable será proceder paso a paso, concentrándonos en algunos valores elegidos y en sus aspectos parciales. En los siete capítulos siguientes se hallarán sugerencias sencillas para la puesta en práctica:

> El lunes prestaremos atención
> a los sentimientos.
>
> El martes son idóneos los juegos de lucha,
> las competiciones de fuerza y astucia.
>
> El miércoles será el día de la palabra, de los versos,
> los acertijos y los cuentos.
>
> El jueves, el día indicado para limpiar, ordenar
> la habitación, desprenderse de trastos inútiles.
>
> El viernes se consagra al cuidado de la belleza.
>
> El sábado estará dedicado a los planes y proyectos.
>
> El domingo seremos «reyes» y «reinas»
> y nos premiaremos a nosotros mismos.

No por eso deja de ser posible vivenciar cualquier valor, en cualquier momento. El programa que sugerimos no es más que una ayuda mnemotécnica, que además trata de aprovechar las características planetarias de los días de la semana. Y así como el conocimiento de las energías de los planetas se ocultó tras los nombres de los días, así también cayó en olvido el conocimiento de los valores humanos. Pero nosotros, con ayuda de este recordatorio, recuperaremos las bases elementales de la conciencia de los valores.

Lunes

El día de la Luna

La Luna representa la maternidad, la feminidad, el agua, la esfera de los sentimientos y de las emociones. Simboliza el alma, lo inconsciente, las sensaciones, la variabilidad, el cambio.

Vivir los sentimientos

La cambiante Luna nos ayudará simbólicamente los lunes para que prestemos atención consciente y vivamos de manera lúdica todas las cosas relacionadas con los sentimientos, como el amor, la protección, los gestos afectuosos, la compasión, la confianza, la alegría y la paciencia, pero también la cólera, la tristeza y el consuelo.

LA CAMBIANTE LUNA

«Ya salió la Luna luminosa y clara, y las doradas estrellas brillan en el cielo», rimaba el poeta Matthias Claudius en su conocida *Serenata*. De la diosa romana Luna recibió su nombre el lunes, *dies Lunae*. Nuestro satélite gira alrededor de la Tierra, unas veces creciente, otras menguante y por algunos días invisible. Cuando se presenta con figura de disco entero, una vez al mes, vierte su luz plateada sobre las tierras y los mares, y suscita en nosotros los sentimientos. Los enamorados pasean bajo el claro de luna y los perros lloran contemplando la luna llena. Algunas miradas tal vez buscarán todavía «el hombre en la luna», o la liebre que vieron algunas culturas primitivas, o revivirán el antiguo asombro al comprobar que la Luna tiene fuerza para originar el flujo y el reflujo de las mareas.

SUGERENCIAS PRÁCTICAS

◉ Con el *barómetro de los sentimientos,* los niños aprenderán a fijarse en sus propios estados de ánimo y a denominarlos: soy feliz, estoy alegre, tengo miedo, estoy triste, estoy enfadado...
◉ Acostamos a nuestros hijos, muñecos y ositos con la *nana* y ponemos fin a sus llantos con *versos* que los consuelen.
◉ Que los niños *vayan a bañarse* y se entretengan con *juegos acuáticos.*
◉ Representaremos los *sentimientos* pintándolos sobre papel con acuarelas y tintas lavables.
◉ La tradición de los lunes también consistirá en *contar cuentos* y recitar *romances fantásticos.*
◉ Ponemos música que armonice con nuestros sentimientos y *bailamos.* Escuchamos la música de las gotas de agua cuando llueve.
◉ Ayudar en casa, en las *tareas relacionadas con el agua* como regar las plantas, lavar la ropa y los platos, limpiar los cristales de las ventanas, hacer té, poner a hervir la sopa.

EL BARÓMETRO DE LOS SENTIMIENTOS

Para los niños es importante poder demostrar sus sentimientos y vivirlos como algo lícito. Desde muy pequeños están en condiciones de aprender a sentir, así como de prestar atención a los sentimientos y manifestarlos. Lo esencial es que la persona adulta escuche al niño y no le interrumpa. *En ningún caso debe tratar de disuadirle de lo que está diciendo.* El barómetro de los sentimientos también puede ser útil para que los adultos controlen sus propios estados de ánimo.

Nos reunimos para construir un barómetro de los sentimientos, indicado tanto para la familia como para el jardín de infancia. En cinco hojas de cartulina formato DIN A4 dibujamos caras con las expresiones adecuadas, o una mascota que represente cada estado de ánimo, para los sentimientos siguientes:

◎ Estoy alegre.
◎ Tengo miedo.
◎ Estoy triste.
◎ Estoy feliz.
◎ Estoy enfadado/enfadada.

Colgamos estos cuadros en la pared, no importa el orden. A cada jugador se le asigna una pinza de la ropa. Puede pintarla y rotularla con su nombre.

EL BARÓMETRO EN EL JARDÍN DE INFANCIA

Con un coloquio diario los niños aprenden pronto a expresarse mejor. Al mismo tiempo, cobran conciencia de sus sentimientos, con un efecto secundario notable que es la disminución general de la agresividad, tanto individualmente como en el grupo.

Todas las mañanas, los niños y los adultos participantes se acercarán al barómetro de los sentimientos y colgarán cada uno la pinza en la figura que corresponda a su estado de ánimo. Es curioso, pero muchas veces los sentimientos varían con gran rapidez. Puede ocurrir que el niño que cuando entró en el jardín de infancia colgó su pinza en «estoy triste», al cabo de una hora se acerque otra vez y, sin decir nada a nadie, cambie a «estoy alegre». Otras veces, cuando hay dos niños que «no se tragan», la pinza del «estoy triste» pasa al «estoy furioso».

Así aprenden que todas las personas, los niños lo mismo que los adultos, pueden tener miedo unas veces, encolerizarse otras, o también alegrarse o entristecerse.

A los siete años deben saber ya qué significa «estar de mal talante» y no confundir el hambre con el enfado, ni el cansancio con la tristeza.

¿Cómo se perciben los sentimientos?

Conversamos con los niños acerca de los distintos sentimientos, y los representamos mediante juegos de rol. A muchas criaturas les cuesta hablar de la tristeza o la cólera. Por tanto, habrá que interrogar con mucho tacto:

◎   ¿Qué ocurre cuando estoy alegre o triste?
◎   ¿Cuándo se pone a palpitar mi corazón?
◎   ¿En qué ocasiones tengo el semblante iluminado?
◎   ¿Cuándo noto una especie de nudo en la barriga?
◎   ¿En qué ocasiones tengo ganas de patear y morder?
◎   ¿Alguna vez me he tapado la cabeza con la manta para echarme a llorar?
◎   ¿Cuándo siento una especie de flojera alrededor del corazón?
◎   ¿En qué ocasiones salgo dando un portazo?
◎   ¿Cuántas veces no tengo más remedio que echarme a reír?

En algún momento de la mañana sentaremos a los niños en corro de sillas, o alrededor de una mesa, para hablar de lo que han puesto en el barómetro de los sentimientos.

◎ La educadora dirige las intervenciones.

◎ Traerá una prenda, por ejemplo una pluma de color vivo y de gran tamaño.

◎ Los requisitos de intervención serán si uno quiere hablar para contar cómo se siente, que pida la palabra y se le dará la pluma para que le resulte más fácil. Nadie interrumpirá al que tenga la pluma en la mano. Todos escucharán en silencio, lo tomarán en serio y se abstendrán de criticarlo.

La educadora inaugura la sesión con la fórmula:

—Si alguien ha olvidado colocar su pinza en el barómetro, puede hacerlo ahora, si quiere.

Hay que dejar abierta la posibilidad de remediar el olvido, o manifestar por qué no quiere hacerlo.

Mauricio es el primero en reclamar la pluma y declara:

—Hoy no he podido colgar la pinza porque no sé si estoy feliz o sólo alegre. Necesito pensarlo.

Dicho lo cual, cede la pluma al niño siguiente, que dice:

—Estoy feliz porque puedo jugar con mi amiguita.

Hoy sólo ha aparecido una pinza en el cuadro «estoy furioso» y es la de Félix, que explica a los congregados:

—Estoy furioso porque ayer mi hermano pequeño por más que le dije «no lo hagas», no descansó hasta que consiguió quitarme mi juguete.

—Eso debe de ser porque todavía no se sabe las reglas —opina una de las niñas presentes—. Hay que explicarlas mejor.

Los adultos se asombran al comprobar lo muy sensatamente que los pequeños discuten las diferentes situaciones anímicas.

He aquí una recopilación de manifestaciones originales de niños de cinco a ocho años de edad que comentan sus sentimientos durante la tertulia del barómetro.

Estoy contento porque...
Hace buen tiempo.
Tengo permiso para jugar con las muñecas.
Están aquí todos mis amigos.
Tengo un perrito.
He podido traerme mi osito de felpa.

Tengo miedo porque...
Temo que le pase algo al abuelo.
Los leñadores quizá van a cortar mi árbol preferido.
El perro del vecino ladra muy fuerte junto a la verja.
Alguien me ha quitado mi avión y no lo encuentro.
Esta noche he tenido un mal sueño.

Estoy feliz porque...
Hoy Max no me molestará, porque no ha venido.
Tengo ganas de abrazar a todo el mundo.
Se me está moviendo un diente.

FINALIDADES DEL EMPLEO CONSCIENTE DEL BARÓMETRO

◎ Fortalecer la conciencia de sí mismos, educar personalidades fuertes.

◎ Animar a la percepción y la expresión de los sentimientos.

◎ Aprender a respetar y tomar en serio las manifestaciones de la sensibilidad.

◎ Transmitir la capacidad para tomar decisiones y decir que «no» en caso necesario.

◎ Animar a solicitar ayuda frente a las dificultades.

◎ Reforzar la disposición a comentar los problemas.

¡Lo sé todo!

Mañana sábado y el domingo me dejan ver la televisión.

✳

Estoy triste porque...

He tenido que recoger la habitación yo solo.

Mi amigo no quiere jugar conmigo.

Simón y Sebastián se han mudado de barrio.

Tengo ganas de llorar.

Papá está enfermo.

✳

Estoy furioso porque...

Mamá me ha reñido.

No me compran la muñeca Barbie porque dicen

que es demasiado cara.

Mi papá sólo ayuda a mi hermano pequeño y a mí no.

Porque tengo la rabia metida en la barriga.

Porque mi hermana me pega cuando se enfada conmigo.

¡Que la práctica sea divertida! En familia pueden dibujarse también las expresiones correspondientes a los estados de ánimo para fijar los papeles con imanes en la puerta del frigorífico. En este caso los jugadores usarán *stickers* en vez de pinzas para señalar su temperamento del día.

Para llevar a cabo el coloquio buscaremos un lugar cómodo, como la mesa de la cocina. Colocamos un florero en medio, o encendemos una vela. Al terminar podemos tomarnos todos un refresco, unas frutas en almíbar, un té o un tazón de chocolate caliente según la estación.

PEQUEÑAS RIMAS DE CONSUELO
PARA DESTERRAR EL DOLOR INFANTIL

Las rimas tienen «poder mágico». Sirven para alejar las penas de los niños. Las caricias y el arrullo entre los brazos, cuando provienen de un ser querido, consuelan sobremanera a los niños, que así se sienten protegidos, defendidos, comprendidos. También las mamás de las muñecas y papá Oso consuelan a sus pequeños con versos como:

> **El gato y la gata**
> **se van a casar**
> **y no hacen la boda**
> **por no tener pan.**
>
> **Arroró, que te arrullo yo.**
>
> **El gato goloso**
> **mira la ensalada**
> **y la gata rubia**
> **se lava la cara.**
>
> **Arroró, que te arrullo yo.**

Además de las rimas para arrullar existen otras muchas que los pequeños gustan de memorizar: de contar números, de juegos de palabras, de cosquillas, etc. El placer está en la repetición que hace el niño, orgulloso de sus conocimientos. Combinadas con determinados gestos resultan maravillosos juegos de digitación, de montar a caballo y de otras muchas actividades motrices, que enseñan al mismo tiempo sentido del ritmo, soltura de movimientos y capacidad de expresión verbal.

Un juego de actividad: «La tormenta»

Con las yemas de los dedos, las palmas de las manos y los puños se imitan los sonidos del chaparrón sobre el suelo o sobre la espalda de uno de los niños:

Que llueva, que llueva,
la Virgen de la Cueva,
los pajarillos cantan,
las nubes se levantan,
que sí,
que no,
que caiga un chaparrón
con azúcar y turrón,
que rompan los cristales
de la estación.

Lo cual se complementa con el recitado de:

Santa Bárbara bendita
que en el cielo estás escrita
con papel y agua bendita.

«La bruja Pirula»

La mitad del grupo declama los versos musicándolos con percusión e instrumentos sencillos. El resto del grupo compite en pintar manchones sobre grandes hojas de papel.

∽

Ay qué bonito es volar,
a las doce de la noche
a las doce de la noche,
ay qué bonito es volar (ay, mamá)
para venir a quedar
en los tirantes de un coche.
En los tirantes de un coche
yo me quisiera acordar (ay, mamá)
me agarra la bruja, me lleva a su casa,
me vuelve macetas, de una calabaza.
Me agarra la bruja, me lleva a su casa,
me vuelve macetas, de una calabaza.
Y dígame, dígame, dígame usted,
¿cuántas criaturitas se ha chupado usted?
Ninguna, ninguna, ninguna, no sé,
ando en pretensiones de llevarme a usted.
Ay, qué bonito es volar
a las dos de la mañana, las dos de la mañana.
Ay, qué bonito es volar (ay, mamá)
para venir a quedar
en los bracitos de Juana,
en los bracitos de Juana,
yo me quisiera acordar (ay, mamá).

∽

¿POR QUÉ DORMIMOS?

Conviene que los niños lo sepan: el sueño es indispensable para nuestra salud. El insomnio es una enfermedad. El sueño y la vigilia son tan inseparables como el día y la noche. En las edades preescolares los niños suelen dormir unas diez o doce horas diarias. Mientras dormimos, el organismo repone fuerzas. Cuando estamos cansados bostezamos. Algunas personas roncan mientras duermen. Todas las personas sueñan mientras duermen, aunque muchas veces no lo recuerdan a la mañana siguiente. Comentamos sobre el sueño:

- ◉ ¿Por qué nos despierta a veces la sed obligándonos a levantarnos para beber?
- ◉ ¿Alguno se ha visto en la necesidad de levantarse cuando ya estaba acostado, para ir al lavabo?
- ◉ Para conciliar el sueño quieres que dejen una lámpara encendida, ¿por qué?
- ◉ ¿Soñaste anoche? ¿Ha sido un sueño divertido, extraño o triste?
- ◉ ¿En qué se nota que es hora de ir a la cama?
- ◉ ¿Duermes boca arriba, boca abajo, abrazando el muñeco?

JUGAMOS A DORMIR Y CANTAMOS NANAS

Los niños se tumban en el suelo, cierran los ojos y fingen dormir. Empezamos a hablar con voz sosegada:

—Estamos durmiendo, estamos roncando. Va a ser un sueño largo y tranquilo. Respira hondo, respira tranquilamente y duérmete ahora.

Para controlar si están realmente relajados levantamos un poco un brazo o una pierna, a ver si retornan fláccidos al suelo.

ℯ

**Duérmete niño
que viene el coco,
y se lleva a los niños
que duermen poco.**

ℯ

El verso siguiente lo ideó de manera espontánea un niño de seis años, que se mostró muy complacido con su creación:

e ᐧ

**Caminas solo bajo la luna
y no tienes casa. Da igual
porque estás solo bajo la luna
y todo está sensacional.**

e ᐧ

CUANDO ESTÁ PERMITIDO CHAPOTEAR Y SALPICAR

El agua, elemento natural, fascina a los niños de todas las edades. Al principio, algunos se muestran desconfiados frente al líquido elemento. A partir de una cierta edad descubren que el agua exige nuevas modalidades de movimiento, y aprender a nadar se convierte en una experiencia clave. Los niños se familiarizan con el agua de una manera lúdica.

◎ Hay que dejarles que jueguen un rato mientras se bañan o se lavan. Pero, ¡cuidado!, nunca dejar solos a los niños de corta edad.

◎ En el lavamanos los niños se divierten mucho lavando los platos de la cocinita infantil y recipientes de plástico de diferentes tamaños.

◎ Cuando está permitido salpicar, a los más pequeños les agrada sobremanera chapotear metiendo los pies en los charcos del suelo.

◎ Trataremos de incluir en las excursiones unos juegos acuáticos que sean creativos (con las debidas precauciones claro está). A los niños les agrada construir diques y desviar el curso de un arroyo.

◎ ¿Quién sabe hacer rebotar un guijarro plano sobre unas aguas tranquilas?

◎ Escuchamos el chapuzón de los pedruscos cuando los dejamos caer en el agua.

◎ Con latas o tarros de yogur vacíos se puede aprisionar el aire debajo del agua para soltarlo después, ¿quién quiere intentarlo?

◎ Si tapamos con el dedo la boquilla de la manguera se obtienen un maravilloso surtidor con efecto de arco iris.

◎ Para los muy pequeños, aprender a beber directamente del grifo es toda una experiencia.

◎ Construir un conducto de agua empalmando tallos de alguna planta adecuada para ello por tenerlos huecos.

Martes

El día de Marte

Marte representa la virilidad, los guerreros y soldados, la lucha, la competición, la osadía y el trabajo muscular. Es el portador de la vitalidad, la valentía, la perseverancia, la fuerza de voluntad, el espíritu de lucha y la capacidad para la acción.

Medir fuerzas y respetar reglas

El belicoso Marte nos proporciona en este día un buen pretexto para medir fuerzas y dedicarlo a competiciones regladas. Al menos un día a la semana hay que conceder a los niños el placer de la pelea y de los juegos infantiles de fuerza. Desarrollan la audacia, pero también el respeto a las normas, la perseverancia y la deportividad.

MARTE EL GUERRERO

El nombre proviene del *Mars* de los romanos, que fueron también quienes le dedicaron el *Martis dies*. Entre las tribus germánicas el dios de la guerra se llamaba Ziu, de donde deriva en dialecto suizo el *Zischtig*, *tuesday* en inglés (pronunciación tju:zdi) y

Dienstag en alemán. Marte sugiere una fuerte energía. Su eficacia es dinámica, renovadora. Es el que hace subir la savia de las plantas en primavera y despierta el instinto sexual en los animales y los humanos. Marte es audaz, emprendedor. Nos concede el vigor para abrirnos paso en nuestro medio ambiente y para defendernos frente a influjos ajenos.

SUGERENCIAS PARA LA PRÁCTICA

◉ Es fundamental que los niños aprendan unas *reglas* sencillas que deben tenerse en cuenta durante las luchas. No se trata de «sacudirse» a ciegas. Para practicarlas, empezaremos con juegos como «dos puñaladas en la espalda», «matar palabrotas» y «cocodrilo en el estanque».

◉ *Los padres y educadores/educadoras también deben luchar y medir fuerzas con los niños.* Para éstos, el sentirse sujetos con fuerza, tratar de escapar, conocer sus propios recursos físicos, es muy importante. De este modo, aprenden a dosificar sus fuerzas conscientemente y desahogan agresividad reprimida sin hacer daño. También deben aprender a distinguir entre luchas «en broma», o deportivas, y peleas «en serio».

◉ *Cambiar los muebles de lugar* con ayuda de los niños es una idea excelente para el martes.

◉ Para *renovar la arena del cajón* del jardín necesitaremos todas las fuerzas que Marte quiera dispensarnos.

◉ Otra actividad ideal para el martes, *cavar la tierra* del jardín, por ejemplo para preparar una siembra.

«MATAR LAS PALABROTAS»

A los siete años, todos los niños deben distinguir lo que es una blasfemia o una palabrota. «Matar palabrotas» es un juego idóneo para utilizarlas en común, dentro de unas reglas convenidas de antemano entre las familias y los educadores o educadoras.

Extendemos una manta grande sobre el suelo. Los niños se arrodillan alrededor de ella y la cogen por el dobladillo, moviendo las manos de arriba abajo como para simular la agitación de unas olas. A una señal de la persona que dirige el juego, todos meten la cabeza debajo de la manta, al mismo tiempo, y gritan una palabrota con todas sus fuerzas. A continuación dan palmadas sobre la manta para «chafar» la mala palabra que acaban de esconder ahí debajo.

«Cocodrilo en el estanque»

Los niños han de familiarizarse de manera lúdica con esas emociones que son el miedo y el espanto (sobre todo, el miedo a las cosas que no se ven, o se desconocen). El juego del «cocodrilo en el estanque» va a proporcionarles muchas oportunidades de hacerlo. Los niños demasiado temerosos que no deseen participar podrán quedarse al margen, mirando cómo lo hacen los demás.

El grupo se sienta en corro alrededor de una manta grande, de forma circular a ser posible (de unos tres metros de diámetro, lo ideal sería hacernos con una tela de paracaídas). Los niños sujetan el borde fuertemente con ambas manos. Uno de ellos será el cocodrilo y se esconderá debajo de la tela. A la voz de «atención, listos, ¡ya!», el cocodrilo empezará a «devorar» a los niños tirándoles de las piernas. El que resulte atrapado se meterá debajo de la manta y quedará convertido en cocodrilo para ayudar al anterior. Gana el niño que sea atrapado el último, quien iniciará la partida siguiente, si se quiere.

«DOS PUÑALADAS EN LA ESPALDA»

Según Freud los niños necesitan juegos del tipo que él denominó «del dulce cosquilleo del miedo». Todo niño debería conocer al menos una o dos modalidades. Éstas se introducen aprovechando alguna situación, por ejemplo si hemos visto un lanzador de cuchillos en el circo, o los pequeños comentan la serie de televisión *El pequeño vampiro*, o en la velada de Halloween. Se juega por parejas. El jugador pasivo se sienta en una silla y el activo se coloca a su espalda. En la ronda siguiente permutarán roles. El texto lo recitará un director del juego, o el jugador activo, o todo el grupo a coro. Al mismo tiempo, el jugador activo realiza los movimientos correspondientes.

—Dos puñaladas en la espalda...
  (el jugador activo «apuñala» al otro hincándole el dedo índice en la espalda)
—Arañas en el pelo...
  (con los diez dedos le rasca el cuero cabelludo moviéndolos como si fuesen patas)
—Sangre que corre a raudales...
  (rozando suavemente con las yemas de los dedos por las mejillas y el cuello abajo)
—¡Drácula ha llegado!
  (súbitamente le agarra los dos hombros con las manos al jugador pasivo, apretando con fuerza).

«EL PATO GRANDE Y EL PEQUEÑO»

Otra de las cosas que deben aprender los niños es que los actos tienen consecuencias. Y de paso, que la naturaleza obedece a unas leyes que le son propias. En el ejemplo del pato grande y el pato pequeño, los niños se tranquilizan y se consuelan después de que el pato grande haya llorado mucho creyendo perdido al pequeño. Se acompaña el recitado con una mímica e incluso, si se quiere, una coreografía adecuada.

—Érase una vez un pato grande, ¡grande!

(círculos con las manos para indicar lo grande que era)

—Que tenía un patito pequeño, pequeño.

(juntando los dedos, es un patito realmente muy pequeño)

—Y le dijo entonces el pato al patito:

«¡Que no se te ocurra meterte en el agua sin mi permiso!»

(amenazando con el dedo)

—«No, no lo haré», que dice el patito pequeño

(todos niegan vivamente meneando la cabeza)

—Y ¡zas!, al primer descuido ¡patos al agua!

(avanzar la mano estirada dando a entender cómo se sumerge)

—Pero pasaba por allí un pez grande, ¡muy grande!

(aspavientos para indicar el tamaño del pez)

—Que abría una bocaza ¡enooorme!

(juntar las manos con las puntas de los dedos adelante, y separarlas figurando las tremendas fauces)

—Y cuando vio al patito hizo ¡glups! y se lo tragó.

(todos hacen ruido de tragar)

—El pato grande al patito se puso a buscar

y como no lo pudo encontrar

el pato grande se echó a llorar

(se frotan los ojos y prorrumpen en sollozos desgarradores).

Miércoles

El día de Mercurio

El planeta Mercurio es el símbolo de la percepción, la comunicación, las operaciones mentales, la facultad de aprender, el intelecto, la astucia, el lenguaje (y la escritura), así como de la inteligencia abstracta o capacidad para relacionar unas cosas con otras.

Fomentar las destrezas verbales y la capacidad de expresión

El miércoles, día de Mercurio, es el más indicado para todos los juegos de palabras y de inteligencia, para las narraciones y para las discusiones filosóficas. El dominio del lenguaje favorece la capacidad para distinguir. Para que los niños adquieran una conciencia de los valores, es menester que los hayan entendido conceptualmente y sepan relacionarlos con sus símbolos.

MERCURIO EL MENSAJERO DE LOS DIOSES

El miércoles, centro de la semana, es el *dies Mercurii* de los romanos, y los germánicos lo tenían consagrado al rey de los dioses,

Wotan, de donde derivó el inglés *Woden's day,* hoy convertido en *Wednesday*. El dios romano Mercurio asumió las características del griego Hermes, el burlón entre los dioses, ingenioso y astuto. Lo representaban con unas alas pequeñas en los tobillos y en el casco, para simbolizar su celeridad como mensajero de los dioses que además podía pasar sin ser visto, si quería. La energía planetaria de Mercurio pasa por influir sobre el entendimiento y el raciocinio, la comunicación, la palabra y la escritura. Fomenta el pensamiento lógico y la deducción, la agilidad intelectual, la palabra bien ponderada, la agudeza. Su virtud asiste a los grandes y pequeños que desean aprender un idioma.

Sugerencias para la práctica

◎ En cualquier situación, introducimos con espontaneidad refranes y dichos que vengan al caso.

◎ Divertimos a los niños practicando *trabalenguas y juegos de palabras*.

◎ Resolvemos juntos media docena de *acertijos* por lo menos.

◎ Tenemos *tertulias filosóficas* en las que no estará fuera de lugar que hablemos de Dios y del sentido del mundo y de la vida.

◎ Miramos y comentamos *libros infantiles ilustrados*.

◎ Nos contamos *historias, leyendas y cuentos*.

◎ *Descubrimos con la mirada y de palabra* mercados de barrio, parques zoológicos, exposiciones, etc.

◎ Los niños entrenan la *memoria* con juegos y recitados.

◎ Los miércoles los adultos estarán más atentos a la *elección de su vocabulario* y la *correcta pronunciación*.

◎ A los niños les haremos deliberadamente *preguntas abiertas* que obliguen a pensar.

EL IDIOMA ES ALGO MARAVILLOSO

Es una de las facultades humanas más prodigiosas. En realidad, no deja de ser un pequeño milagro cotidiano la transformación que realizan los niños en sus siete primeros años de vida: del pequeño ser que sólo sabe manifestarse con balbuceos y vagidos, al individuo independiente que empieza por decir palabras sueltas y aprende a formar frases, a dar nombres a las cosas, a plantear preguntas, y así va conociendo a las personas que le rodean y orientándose en su entorno. Sabe elogiar, insultar e incluso maldecir, escuchar cuentos y leyendas, inventar narraciones por su cuenta, mirar libros ilustrados e interpretar lo que ve, aprenderse versos de memoria, idear rimas y cantar canciones.

Como el lenguaje tiene una importancia tan relevante para un buen desarrollo de los niños, he incluido en este libro muchas de las preguntas y respuestas que a ellos se les ocurren. En la actualidad, sentarse a filosofar con los pequeños me parece más importante que nunca. Es menester escuchar lo que dicen, tomarlos en serio, pedirles aclaraciones entrando con ellos en un diálogo que no será ajeno al sentido del humor. Si conseguimos eso, más adelante buscarán espontáneamente libros que consultar, pensarán por su cuenta, sabrán comprender su propia imaginería interior y tendrán acceso a símbolos y metáforas.

PREGUNTAS ABIERTAS QUE SUGIEREN LAS IMÁGENES

La contemplación de imágenes induce en los niños interrogantes que dan pie a una conversación. Cuando contemplemos juntos las ilustraciones de un libro, en ocasiones incluso podremos prescindir del texto; lo que interesa es plantear preguntas abiertas, es decir, de las que no se despachan con un «sí» o un «no», sino que obligan a seguir el hilo de una reflexión:

◎ ¿Qué te parece? ¿Qué está diciéndole «A» a «B»?

◎ ¿Cómo podría continuar esta historia?

◎ ¿Qué crees que habrá pasado entre tanto?

◎ ¿Qué harías·tú si te vieses en el lugar de «A»?

◎ ¿Qué título le pondremos a esta historia? ¿A alguien se le ocurre otro título?

◎ ¿Qué tiempo hace en esta ilustración, frío o calor?

◎ ¿Qué hora del día representa? ¿Cómo se sabe?

◎ ¿Se oyen ruidos en esta escena?

◎ ¿Qué es lo que más os gusta de esta imagen y por qué?

◎ ¿Se adivina a qué oficio se dedican los personajes de esta ilustración?

◎ ¿Os juntaríais a jugar con alguna de estas personas? ¿Por qué?

CANTAMOS Y PRODUCIMOS SONIDOS

A los niños les gusta cantar y hacer música con una persona de su confianza. Son sensibles a la música, la palabra y el movimiento. Cantamos en voz baja, fuerte, en tonos graves, en agudos, batiendo palmas. Tarareamos una melodía para que ellos adivinen el título. ¿Qué pasa cuando nos tapamos los oídos con las manos mientras cantamos? ¿Y cuando tarareamos una nota y cerramos los orificios de la nariz con el pulgar y el índice, o tratamos de entonar una nota con la boca cerrada?

INVENTAR RIMAS

¿Qué palabras tienen rima consonante? Uno de los niños propone una palabra, los demás proponen rimas con la mayor rapidez posible: «Piedra, hiedra», «oreja, colleja», «nariz, aprendiz». También puede practicarse durante los viajes en coche, en tren, o en la sala de espera del médico.

Concursos de mascar chiclé

Es una idea que vino de América y muy recomendable para los niños de cuatro a seis años. A los pequeños les gusta mucho. El chiclé fortalece la musculatura masticatoria y de la lengua, cuyos movimientos aprenden a dirigir conscientemente, lo que ayuda a evitar vicios de pronunciación. Lo ideal sería dedicar a esta actividad diez minutos, dos o tres veces por semana. Obviamente se elegirán gomas de mascar sin azúcar.

◎ Mascamos con la boca abierta, con fuerza y haciendo ruido, como verdaderos bandoleros.

◎ Cerramos la boca y mascamos educadamente, procurando mover el chiclé en la boca sin hacer ningún ruido, como unas señoritas finas.

◎ Con ayuda de los incisivos superiores y de la lengua damos a la goma forma de plátano. Sacarla de la boca con el índice y el pulgar, y mostrarla. La comparación divierte a los niños y sirve de acicate para aprender a moldear cualquier tipo de figura con la lengua que los demás puedan reconocer.

◎ Formar una bola detrás de los incisivos superiores y mostrarla entre el índice y el pulgar.

◎ Entre la lengua y el paladar adelgazamos la goma de mascar hasta convertirla en una oblea delgadísima. Sacarla y mostrarla.

◎ Con el índice y el pulgar, sacar un hilo de goma por entre los incisivos y alargarlo al máximo. Soltarlo y «recogerlo» con precaución.

◎ Formar una bola con la lengua, guardarla entre las muelas superiores y la mejilla. Abrir la boca y sacar la lengua de manera que la vean todos. La goma de mascar no debe aparecer por ningún lado.

◎ Por último, cantaremos todos una canción sin quitarnos el chiclé de la boca y sin que se nos caiga: toda una proeza para los más pequeños.

RIMAS DE CONTAR

A los niños les gustan las jergas, de ahí que les fascinen esas rimas cuyas palabras no se entienden, pero que tienen un sonido fascinante:

e⌒

> Una, dola,
> tela, catola,
> quila, quilete,
> estaba la reina
> en su gabinete.
> Vino el Gil,
> apagó el candil,
> candil, candilón:
> cuenta las veinte
> que las veinte son.

O como en esta otra, jugando al surrealismo:

> Un elefante se balanceaba
> sobre la tela de una araña,
> y como veía que no se caía
> fue a llamar a otro elefante.
> Dos elefantes se balanceaban
> sobre la tela de una araña,
> y como veían que no se caían
> fueron a llamar a otro elefante.
> Tres elefantes, etc.

e⌒

ADIVINANZAS Y ENIGMAS

Figuran entre los pasatiempos preferidos de los niños de curiosidad más despierta. Los hay tradicionales, pero los mejores son los de invención propia, siempre y cuando estén adaptados a la edad de la criatura. He aquí algunas propuestas:

◎ Habla como persona pero es animal. El loro.
◎ ¿Qué animal dice su nombre? El cuco.
◎ ¿Qué es lo que pica y no tiene aguijón? La pimienta.
◎ Tiene patas pero no puede correr. La mesa.
◎ Un gato que no maúlla. El de levantar el coche.
◎ Una pera que no se puede comer. La del interruptor de la luz.
◎ Uno que anda pero no tiene pies. El reloj.
◎ Unas hojas que no tienen pecíolo. Las del libro.
◎ ¿Qué animal tiene el cuello más largo? La jirafa.
◎ Unos clavos que no sirven para clavar nada. Los de condimento.

TRABALENGUAS

Como su mismo nombre indica, al tratar de pronunciarlos cada vez más deprisa se nos encalla la lengua. A ver quién es capaz de decir uno de estos ejemplos varias veces seguidas:

Tres tristes tigres tragaban trigo en un trigal.

ℓ

**Tengo un tío cajonero
que hace cajas y calajas
y cajitas y cajones.
Y al tirar de los cordones
salen cajas y calajas
y cajitas y cajones.**

Del pelo al codo y del codo al pelo, del codo al pelo
y del pelo al codo.

ℰ

Un burro comía berros y el perro se los robó,
el burro lanzó un rebuzno, y el perro al barro cayó.

ℰ

Si Sansón no sazona su salsa con sal, le sale sosa;
le sale sosa su salsa a Sansón si la sazona sin sal.

Dos historias para decir deprisa

Para realizar esta actividad los niños tendrán ya seis años o más, porque requiere buen dominio de la pronunciación, adquirido con la práctica, y no es nada fácil.

Las tablas de mi balcón mal entablilladas están.
Llamen al entablillador que las desentablille
y las vuelva a entablillar mejor,
que ya se le pagará
como buen entablillador.

ℰ

Tengo una puerca pescuecicrespa
con sus puerquitos pescuecicrespitos.
Pues que sí, pescuecicrespa la puerca;
pues que sí, pescuecicrespitos los puerquitos
hijos de la pescuecicrespa puerca.

Jueves

El día de Júpiter

Júpiter simboliza el impulso expansivo, el crecimiento, la plenitud y la riqueza, así como la generosidad, el honor, la felicidad, la gran sabiduría y autoridad natural. Preside la capacidad para comprometerse en causas sociales, la ética, la buena fe y el optimismo.

Tratar con la abundancia y la libertad

El jueves, con su plétora jupiterina, es como un golpe de timbal que nos enseña: ¡menos es más! Día indicado para ordenar la casa, librarse de los trastos viejos, repartir, regalar. Vigilemos a nuestros hijos, que no los agobie el exceso de estímulos sensoriales. Para progresar necesitan campo libre en donde desarrollar la propia iniciativa.

Júpiter es el cuerno de la abundancia

Es el planeta del jueves, el más grande de nuestro sistema solar. Por eso se le asignan los temas del crecimiento, de la plenitud, de la riqueza y de los espacios ilimitados. Júpiter, asimilado al Zeus de los griegos, el padre de todos los dioses, tiene por atributos el rayo y el trueno. También representa la grandeza de ánimo, no sólo la magnificencia exterior. Su sabiduría universal es superior a la habilidad de Mercurio. Bajo la influencia de la energía de Júpiter, el hombre se vuelve generoso y desarrolla los aspectos más «mayestáticos» de la personalidad.

Sugerencias para la práctica

◎ Hagamos que el jueves sea el gran día de la limpieza, el de poner en orden la habitación de los niños y colocar los juguetes en sus estantes.

◎ Los juguetes que por ahora no suscitan interés, los guardaremos en cajas de cartón. Más tarde los sacaremos otra vez cuando hagan falta.

◎ Los que se consideren absolutamente innecesarios tras deliberar con los pequeños podríamos regalarlos, pero hay que tener cuidado de no asignar tal destino a ningún juguete, muñeco u osito de felpa favorito, si los niños todavía les demuestran aprecio.

◎ Una vez conscientes de la plenitud que ofrece el jueves, ¿por qué no nos proponemos *un día sin juguetes industriales prefabricados*, para variar?

◎ A los niños les encanta buscar «cosas aprovechables para jugar». Hagamos que los pequeños investigadores se pongan a buscar enseres domésticos, papeles, telas, prendas viejas para disfrazarse, cajas de cartón, cuerdas, pinzas de la ropa, etc. Estos «objetos encontrados» les servirán para desarrollar su fantasía.

Por cierto, que el niño que es perseverante en el juego también lo será luego con los trabajos escolares. Los adultos nos fijaremos esta norma fundamental: *Mientras los veamos entretenidos con sus propias ideas, ¡no los interrumpamos! De esta manera, ellos desarrollan su capacidad de concentración.*

LA PUBLICIDAD DESCUBRIÓ LOS JUGUETES

Según análisis de mercadotecnia la capacidad adquisitiva de los niños de seis a trece años de edad en nuestro país se acerca a los 2.000 millones de euros. Nuestros niños, como los de todos los países de Europa, son consumidores potenciales. Hoy día los cuadernos de dibujo, los cuentos ilustrados y los muñecos o figuras ya no son objetos aislados, sino que juntos constituyen sistemas completos, mundos de vivencias para los niños. En su creación entran en juego las técnicas del *merchandising*, que también orientan la publicidad televisiva y así se consigue un grado de difusión muy elevado. De esta manera se les crean a los pequeños necesidades en relación con lo que les parece atractivo y *cool*. Los personajes de las películas de animación, los mitos y los monstruos tienen lugar destacado, porque activan la fantasía y además irradian sentido del humor y fuertes sentimientos:

◎ La conocida película de Walt Disney *101 dálmatas* suscitó la aparición en el mercado de nada menos que 17.000 artículos de color blanco y lunares negros.
◎ La meta de los fabricantes de juguetes no es el producto, sino la línea de productos. Como la muñeca que además necesita un pony, un columpio, un vestido de boda, un equipo para ir a esquiar, y hasta un novio y un bebé...
◎ En Alemania, uno de los autores de libros infantiles más vendidos es Janosch, que tiene por mascota un pato atigrado a rayas negras y amarillas. La facturación anual de productos atigrados de negro y amarillo patrocinados por Ja-

nosch supera los 125 millones de euros, desde la nariz postiza de cartón para los carnavales hasta una casa de muñecas completa.

◎ Los consorcios gigantes de la industria juguetera Mattel, Hasbro y Lego adquirieron los derechos sobre la temática «Harry Potter» y todos los productos derivados por un total de 50 millones de dólares.

Es importante que los padres caigan en la cuenta de que sus hijos también pueden jugar sin utilizar ningún objeto, o pueden tenerlo sin necesidad de que sea ningún producto comercial. La fantasía infantil sabe convertir las piedras en tomates y los zapatos viejos en barcos...

LO QUE LOS PADRES DEBEN SABER ACERCA DE LOS JUEGOS INFANTILES

En un atlas de puericultura titulado *El niño desde el nacimiento hasta la escuela*, el profesor Heinz Stefan Herzka, psiquiatra infantil de Zurich, ha recogido algunas nociones básicas sobre el juego infantil. En particular, subraya:

> Los juegos de los niños no son compatibles con la obligatoriedad que se aplica, por ejemplo, a la enseñanza. Para ellos, el juego es una forma de vivir aparte.

◎ El niño que juega, al tiempo que desarrolla su actividad experimenta unas vivencias. Para él no existe la separación entre trabajo y tiempo de ocio. Y, generalmente, los juegos infantiles no están determinados por una finalidad; incluso cuando hay una meta que alcanzar, las operaciones que conducen a ella son tan importantes como la meta misma.

◎ Al jugar el niño moviliza todos sus recursos de sensibilidad, voluntad y razonamiento. Lo vemos serio y concentrado. No hay contradicción para él entre lo serio y lo lúdico, como tampoco la hay entre obrar y sentir.

◎ Al jugar el niño necesita, además, toda su capacidad de percepción, toda su movilidad, su inteligencia y su fantasía. Bien invente libremente, o se ponga en el lugar de algún adulto, si nos fijamos observaremos que no deja de distinguir en todo momento entre lo que es juego y lo que es el mundo cotidiano de los adultos.

◎ En el juego da forma a cosas que ha vivido, lo que le sirve para ir venciendo, de paso, las dificultades que plantea el desarrollo y los conflictos psíquicos del día a día. Al mismo tiempo, anticipa el porvenir que le espera. Por ejemplo, el tener que trabajar algún día como hacen los adultos. La riqueza de ocurrencias y la espontaneidad forman parte del juego infantil lo mismo que la observancia de determinadas formas y reglas.

◎ El juego estimula tanto la individualidad como el sentido de grupo, y su configuración está determinada por la personalidad del niño, que es única, así como por factores sociales y de la familia, sus tradiciones y sus normas.

◎ Para jugar, el niño necesita un cierto espacio en casa y en el entorno de ésta, así como tiempo, tranquilidad y algunos materiales.

◎ También necesita compañeros de juego. Procuremos ofrecerles oportunidades para que se reúnan a jugar con sus amigos.

◎ No es conveniente clasificar los juguetes en «cosas para los chicos» y «para las chicas», con lo que les imponemos de antemano unos roles de género. Debemos ofrecerles lo que ellos prefieran siempre que se adapte a sus capacidades.

¡ESA CONDENADA OBLIGACIÓN DE RECOGER LAS COSAS!

Que no se convierta en un drama diario. A ellos no les gusta recoger, y no lo harán si no les ayudamos. He aquí algunas formas de persuadir para los padres, de probada eficacia para motivar a los pequeños:

◎ Todos los juguetes de nuestros hijos deben tener su lugar asignado. Las muñecas duermen dentro de su cochecito y sus prendas en la cajonera. Los bloques del juego de construcción y los módulos de la pista de carreras, en tambores vacíos de detergente. Los bólidos en miniatura, alineados en el estante donde se exponen, por ejemplo, junto con los libros.

◎ Cuando se dispongan a sacar un juguete nuevo, les diremos que guarden el anterior.

◎ En mi casa ordenamos la habitación al final de la tarde, y luego contamos un cuento. Acostumbrados a esta secuencia, los pequeños se motivan mucho.

◎ Las cajoneras son un gran invento porque permiten acceder cómodamente a los objetos guardados. Pero hay que mantener un criterio de clasificación, o no tardará en convertirse en un caos. Para facilitar esa clasificación conviene subdividir los cajones en compartimientos, por ejemplo mediante cajas de cartón sin tapadera puestas en aquéllos.

◎ Las canicas, los abalorios y demás objetos por el estilo, previamente clasificados, en saquitos de franela cuyo lugar será el colgador de la habitación.

◎ En mi casa guardamos los libros de cuentos, los tableros y fichas de los juegos de mesa, etc., en un armario empotrado del pasillo.

◉ Terminado el juego de construcción, uno de los chicos trae el camión para cargarlo con todas las piezas y guardarlas.

◉ Todas ellas van a un cajón grande que está debajo de la litera.

◉ De esta manera, la limpieza general de la habitación sólo tendrá que hacerse una vez por semana.

EL QUE CUANDO NIÑO TUVO, APRENDIÓ A REPARTIR

No olvidemos que los niños menores de tres años no deben ser obligados a compartir sus juguetes con los demás. *Es necesario haber tenido, para saber desprenderse de lo que uno tiene.*

Los juguetes preferidos, como la muñeca que acompaña a Juanín todas las noches, o el osito de felpa al que Idoia confiesa todas sus cuitas y que le sirve de consuelo, no se les deben quitar nunca.

OCIO SIN JUGUETES

Los hábitos consumistas se hallan cada vez más arraigados en los niños. Para la mayoría de ellos, los juguetes y las prendas de marca se han convertido en una especie de símbolos de categoría. Es frecuente verlos cómo juegan cada uno por su lado, pese a hallarse en un grupo, sin hacer caso de los compañeros. Además, la sobreabundancia de la oferta tiende a desorientarlos, y así no saben demasiado bien lo que quieren. La «opulencia» material de muchos niños de hoy ha motivado que numerosas instituciones se adhieran a la iniciativa «ocio sin juguetes», encaminada a prevenir futuras adicciones. *Los niños que no han sido consentidos dándoles de todo enseguida, que han tenido que negociar y cumplir reglas,*

que han aprendido a ser creativos, perseverantes y constantes en sus juegos, serán menos propensos a caer en hábitos destructivos más adelante.

LOS NIÑOS SE OCUPAN DURANTE TRES MESES PRESCINDIENDO DE JUGUETES COMERCIALES

Previo acuerdo con los pequeños, todos los juguetes existentes
se guardan. Además de los muebles, se les dejan las telas, los tableros, los neumáticos, los almohadones, diversos elementos de la
naturaleza, los libros ilustrados, las mantas, las colchonetas y el
material para los disfraces. De esta manera, se les reduce durante
esos tres meses a los recursos más elementales. Toda ampliación
del surtido de materiales deben solicitarla expresamente. En estas condiciones, pasan a primer término los juegos de rol, la
construcción de cabañas, los juegos de parar, de corro, del escondite, moros y cristianos, y las canciones. La finalidad de este
«jugar sin juguetes» es obvia. Se trata de desarrollar en los niños
las actitudes siguientes:

◎ Prescindir del consumismo.
◎ Retorno a la fantasía propia y estímulo de la creatividad.
◎ Tolerancia a la frustración.
◎ Saber decir «no» conscientemente.
◎ Fortalecer el amor propio.

Una vez superadas las lógicas dificultades iniciales, se observa un
notable cambio de mentalidad entre los niños, los educadores y
los padres. La experiencia les enseña a todos que *menos es más*.

El niño y su actividad pasan a ocupar el lugar principal. Aparecen con claridad sus verdaderas necesidades. Los educadores
comprueban la necesidad de tomarse en serio a todos y cada
uno de los pequeños, y de escuchar lo que dicen. Naturalmen-

te, eso requiere tiempo, pero dado que habremos eliminado casi todos los demás programas, no va a ser tiempo lo que nos falte. A los niños se les induce a ensayar por su cuenta, a asumir los riesgos previsibles.

En prevención de fracasos, es necesario que desarrollen buena conciencia de sí mismos, y eso precisamente se consigue con el «ocio sin juguetes». Al jugar desarrollan gran inventiva y se dan cuenta de que de los errores también aprende uno. Van haciéndose cada vez más independientes y creativos, cambian impresiones con mayor asiduidad, aprenden a organizarse, experimentan la alegría que produce convertir las propias ideas en actos.

El «jardín de infancia sin juguetes» sólo es viable con la colaboración de los progenitores y los pedagogos. No es fácil conseguir que los educadores acepten esa manera de trabajar, porque, en primer lugar, les supone bastante más trabajo, así como la necesidad de establecer un conjunto bien meditado de reglas y un gran sentido de la responsabilidad.

Las experiencias obtenidas con los proyectos ya realizados demuestran la eficacia preventiva que se perseguía. Es decir, el fortalecimiento de la capacidad de relación, la percepción de las necesidades personales no mediatizadas y el aumento de la autoconfianza. Por otra parte, se desarrollan más las destrezas verbales, la tolerancia a la frustración, la disposición para jugar, la creatividad y el razonamiento crítico. Andando el tiempo se consigue reducir el consumo de juguetes comerciales en los jardines de infancia durante todo el año. Y no los echan en falta, según se ha visto. Prefieren recurrir más a la propia fantasía y a la capacidad inventiva.

EL *KINDERGARTEN* DEL BOSQUE

Es una nueva forma de pedagogía que también trata de hallar un método de trabajo alternativo frente a la sociedad de consumo tecnificada y mediatizada. La idea proviene de Dinamarca. Todos los días, los niños pasan tres horas al aire libre en invierno, y cuatro en verano. En caso necesario, pueden acudir al amparo de una pequeña cabaña o refugio del bosque.

● **Menos infecciones respiratorias** El natural afán de movimiento de los niños encuentra en el bosque un terreno amplio donde manifestarse. En ese entorno saludable, cuerpo y espíritu se fortalecen, porque cuatro horas diarias al aire libre significan una drástica disminución de los típicos contagios del jardín de infancia.

● **El bosque, lugar ideal para jugar** Muchos de los pequeños de las ciudades, criados en barrios residenciales, han perdido el contacto inmediato con la naturaleza. Los juegos al aire libre y con elementos naturales recogidos de los alrededores agudizan la inventiva. Aumentan la fortaleza física y la resistencia, así como la decisión y la confianza en uno mismo: vemos que los niños corren y saltan, se familiarizan con los accidentes del terreno, trepan a los árboles y saltan sobre los troncos caídos. Descubren una infinidad de cosas, pedazos de madera, piedras, plantas para infusiones, bellotas y piñas, con todo lo cual pueden improvisarse juegos.

● **En el bosque se aprende a escuchar el silencio** El nivel de ruido ambiente es mucho más bajo que el de cualquier habitación urbana, incluso cerrada. El bosque es el lugar ideal para conocer el valor del silencio y abrir la sensibilidad a los procesos más sutiles, internos y externos. El silencio de la naturaleza es de incalculable valor para refinar la percepción y descubrir la estabilidad, el equilibrio interior y la capacidad de concentración.

🌸 **Escenario para contar y representar cuentos** Cuando repica una campanilla, los alumnos del *kindergarten* silvestre saben que ha llegado la hora de contar cuentos. Forman semicírculo con sus mochilas y recostados en ellas miran hacia la escena preparada por ellos mismos, para escuchar lo que dice la educadora. Las figuras hechas en su mayor parte de elementos naturales quedan muy bien y estimulan la fantasía. En este ambiente tranquilo es más fácil escuchar largo rato una historia. Terminada la narración, si les ha gustado los niños la escenifican. El cuento acompaña a los niños durante dos semanas: ¡qué emocionante y misterioso resulta representar a *Hansel y Gretel, Pulgarcito* o *Blancanieves y los siete enanitos* en su propio escenario!

Los niños que no tengan la oportunidad de asistir a esa «guardería del bosque», tal vez, con un poco de suerte, podrán contar con unos progenitores, monitores de «campamentos» u otros adultos de referencia que los lleven a descubrir las maravillosas posibilidades de juego y aprendizaje que ofrece la vida en ese hábitat natural.

Viernes

El día de Venus

Venus representa el amor, la armonía, la creatividad, las artes y, en general, la capacidad para crear belleza y para saber apreciarla.

Sentir los placeres y las alegrías

Viernes, día de la belleza y de la creatividad: hagamos algo para premiarnos a nosotros mismos. Admiramos y disfrutamos de las flores, las piedras, los aromas. Nos adornamos, decoramos las habitaciones en que vivimos, dedicamos tiempo a pintar, ver cuadros, escuchar música.

VENUS Y LA BELLEZA

El planeta Venus, también llamado estrella vespertina y lucero del alba, es nuestro vecino más inmediato en el cosmos y tiene casi el mismo tamaño que la Tierra. La bella luz de ese cuerpo celeste ha dado lugar a muchas creencias y leyendas. Entre los romanos Venus era la diosa del amor, asimilada a la Afrodita de los griegos, a quien llamaban «nacida de la espuma» porque surgió de entre la resaca del mar adonde había arrojado su semen Zeus el padre de los dioses. También la consideraban protectora de las artes e inspiradora del sentido de la belleza. Tiene por atributos el amor sentimental, la sensibilidad para lo bello y para las cosas artísticas, la propia capacidad de creación artística. Es la gran conciliadora, la que media en los conflictos, la que da alas a los que cantan y la que desarrolla el sentido de la estética.

SUGERENCIAS PARA LA PRÁCTICA

◉ *Embellecerse* con elementos tomados de la naturaleza gusta lo mismo a las niñas que a los niños.

◉ A las criaturas les gusta contemplar su propia *belleza* con la ayuda del espejo y el realce del carmín.

◉ ¿Hay alguien que sepa confeccionar *figuras* de colores con piedras, semillas, abalorios de cristal o cuentas de madera?

◉ La aplicación diaria de protector solar se convierte en un *rito placentero*.

◉ Disfrutamos con los niños de la *energía de los minerales*.

ADORNARSE Y EMBELLECERSE

La necesidad del ornato corporal utilizando elementos de la naturaleza (flores, hojas, frutos) es tan antigua como la misma humanidad. Si se enseña a los niños cómo recoger esas materias primas con cuidado y moderación, no se perjudicará el medio ambiente, sino al contrario. Los niños se enfrentan conscientemente a las bellezas de la naturaleza. Los juegos que siguen el dictado de las estaciones del año les ayudarán a conocer los ciclos naturales y los ritmos biológicos de la vegetación. En todos los países del mundo los niños son aficionados a tejer coronas y collares de hojas y flores.

● **Está permitido maquillarse y pintarse** Necesitarán un espejo grande, un neceser de maquillaje y toallas para la cara. ¿Quién querrá maquillarse como una princesa, o convertirse en el gato Félix? ¿Cómo se pintan los ojos, la nariz y las mejillas de un *clown*? Por medio de esta actividad los niños irán asumiendo distintos roles.

● **Los niños añoran la Edad de Oro** Les gusta todo lo que brilla y reluce, y puesto que es viernes, vamos a concederles la oportunidad de engalanarse con ello. Se necesitan cantidades suficientes de papel dorado y plateado para recortar coronas, diademas, pulseras y anillos. Tampoco pueden faltar los pañuelos de colores cuando Su Majestad la Reina reciba en audiencia.

● **Disfrutar poniéndose protector solar** En nuestras latitudes el sol es ahora más agresivo. Por eso, en verano los pequeños se pondrán mutuamente una crema protectora cuando salgan a realizar actividades al aire libre. Mientras tanto podemos entonar una alabanza al sol, o lo que prefieran ellos.

LAS PIEDRAS Y SU BELLEZA FASCINAN A LOS NIÑOS

Los minerales son antiquísimos puesto que se remontan al origen de la creación. A los niños de todo el mundo siempre les ha encantado la belleza de las piedras. En las excursiones haremos que las busquen, las limpien, las clasifiquen, las observen, las toquen y las comprendan. He aquí un pensamiento de Johann Wolfgang Goethe sobre las piedras:

Incluso las piedras que los demás colocan en nuestro camino, pueden servirnos para construir algo bello.

Del indio Calvin O. John, nacido en 1946, son estos versos de gran sensibilidad:

Un piedra brilla en la cuneta
Tan pequeña... y tan hermosa.
La tomo en la mano. ¡Qué bella!
La devuelvo a su lugar
y continúo mi camino.

◎ Muy temprano, mientras caminan todavía con dificultad llevando el paquete de pañales, los bebés alargan la mano hacia las piedras que brillan, cuando las colocamos dentro de su radio de visión. Quieren retenerlas en la mano, darles vueltas, palparlas y dejarlas caer para ocuparse enseguida de otra.

◎ Poco más tarde, las piedras cobran una nueva dimensión, cuando la criatura descubre que pueden arrojarse... preferentemente en un charco, en un estanque, en un lago, para ver cómo salpica el agua.

◎ Cuando se aficionan a coleccionarlas, los niños no tardan en hacerse «millonarios en piedras». Buscan diversas formas, colores, estructuras o cristalizaciones. ¿Quién será capaz de encontrar un cuarzo natural (prisma hexagonal) o una pirita (cúbica, con brillo metálico)?

◎ Las piedras mojadas tienen colores más brillantes que el mismo mineral en seco.

◉ Con una buena colección de piedras construiremos paisajes que ilustren diferentes narraciones (como los belenes, que son ilustración del relato evangélico).

DISFRUTAR LA ENERGÍA DE LAS PIEDRAS

Los reyes de antaño conocían bien la belleza y las virtudes de las gemas que lucían en la corona, el cetro, el anillo y el collar, todo ello constelado de piedras preciosas. La energía de estos minerales representaba el poder del soberano. Los «plebeyos» tenían prohibidos estos lujos, incluso en el caso de que hubiesen podido permitírselos. Por fortuna, ahora vivimos una época en que todos estamos en condiciones de ser «reyes» y «reinas», por lo que se refiere al uso de joyas y piedras preciosas. En cuanto a las virtudes curativas de las mismas, se conocen, por lo menos, desde los tiempos de la famosa y sabia monja Hildegard von Bingen, y en los últimos tiempos han sido objeto de renovada atención.

Descubramos con los niños la belleza de las piedras. En cuanto al efecto que producen cuando las tenemos en las manos o las llevamos en el bolsillo, eso es algo que cada uno debe experimentar por su cuenta. He aquí algunas sugerencias.

◉ **Jaspe** Sus colores son los de la tierra, desde el marrón y el pardorrojizo hasta el ocre claro, el verde y el color arena. De él se dice que «acaricia la mano» ya que tiene un tacto «blando». El jaspe transmite fuera y valentía para enfrentarse a la vida y agudiza el sentido del olfato.

◉ **Ágata** Los primeros ejemplares conocidos se encontraron en Ajatis, un río de Sicilia. Tallado en forma de tabla, este mineral es traslúcido. Protege la vida en ciernes y fomenta el amor a la naturaleza.

- **Ónice** Piedra compacta, de color negro intenso, se le atribuye la propiedad de calmar el dolor de oídos. Ayuda a escuchar mejor la música. El niño que encierra un ónice en su mano escucha más atentamente un relato o una conversación.

- **Carnalina** Es de color rojo anaranjado y de brillo traslúcido. Agudiza la percepción táctil y despierta nuestros sentidos a las bellezas de la madre Tierra.

- **Ojo de tigre** A rayas amarillo dorado y pardo dorado como la piel del tigre. Una de estas piedras colocada sobre la barriga infunde calor a todo el cuerpo. Un ojo de tigre en el bolsillo del pantalón ayuda a reflexionar con claridad.

- **Cuarzo rosa** Es de un rosa muy claro y transparente. Ahuyenta la ira, la cólera y el enfado. Tranquiliza, dulcifica el carácter e inspira el amor al prójimo.

- **Cristal de roca** Es el rey de los minerales. Transparente, incoloro, refracta la luz proyectando un arco iris. Puesto en agua, energiza el líquido: ésa es la fórmula de nuestra agua de «acción de gracias» que hemos visto anteriormente. El agua así tratada resulta más blanda y más agradable de beber.

- **Amatista** Pertenece a la familia de las gemas. Es transparente y de color violeta claro. Ayuda a conciliar el sueño y a pasar noches tranquilas.

Sábado

El día de Saturno

Saturno representa imaginariamente la estructura, la claridad, el conocimiento de uno mismo, la parsimonia, la renuncia, la concentración, la frugalidad, la disciplina, las reglas y obligaciones, las dificultades, las limitaciones, el sentido del ahorro y la conservación de las tradiciones.

Saber estructurar y asumir el pasado

El sábado, y con la colaboración de Saturno, haremos los proyectos para la semana, con la asignación de tareas, las listas de la compra, los horarios. Se debatirán las reglas y los asuntos familiares pendientes. Es buen momento para abordar temas serios como la vida, la vejez, el pasado y la muerte.

SATURNO: ESTRUCTURAS NÍTIDAS

En la antigüedad era el símbolo de las leyes y los reglamentos, de la estabilidad y de la seguridad. Nos invita a asumir responsabilidades, a perseverar en el trabajo encaminado a la obtención de un fin. Nada se nos regala, pero al menos creemos que el trabajo constante terminará por darnos sus frutos. Simboliza la columna vertebral, tanto en el sentido concreto como en el figurado. Bajo su influencia nos preguntamos: ¿asumiré la responsabilidad por mi vida, por todo lo que haga o deje de hacer?

Típicamente se representaba a Saturno con aspecto de mujer anciana, o de anciano, cuyos arrugados semblantes ponían de manifiesto la madurez, la sabiduría y la experiencia de los muchos años vividos. Otras veces era la muerte en figura de esqueleto con su guadaña. En la mitología, Saturno era el guardián del tiempo y el centinela del umbral. La guadaña representa la luna menguante, que nos recuerda la conveniencia de administrar bien los años de vida que tengamos destinados.

Sugerencias para la práctica

- El sábado es el día ideal para negociar reglas con los pequeños, explicándoles de paso que existen algunas normas no negociables, sino que deben admitirse en bien de todos.
- Los niños aprenden que a veces las reglas existen para ser quebrantadas, es decir, para constituir una excepción.
- Los sábados visitamos el museo de ciencias naturales y contemplamos especies raras y esqueletos de dinosaurios.
- La visita al museo egipcio también sería una idea acertada, para poder admirar los sarcófagos policromados de los faraones y sus momias.
- Visitamos a los abuelos y les preguntamos cómo eran las cosas antiguamente.
- Contemplamos viejas fotos y el árbol genealógico de la familia.
- También las actividades de ordenar y clasificar están regidas por Saturno: guardar los zapatos y los calcetines ordenados

por pares, colocar las cucharas, los tenedores y los cuchillos en los compartimientos correspondientes, clasificar los lápices de colores. Sin darse cuenta, los niños van a adquirir nociones fundamentales de la teoría de conjuntos.

◎ Visitamos un castillo medieval, contemplamos con atención las viejas murallas, subimos a la torre del homenaje y bajamos a las mazmorras.

◎ Visitamos la catedral, la colegiata o la iglesia principal de nuestra ciudad y observamos la cripta, el crucero y las lápidas de los caballeros de antaño.

◎ Una excursión para visitar un monasterio es buena idea. Podemos admirar el sencillo estilo de vida de los frailes y las grutas y capillas.

◎ Visitamos un cementerio rural. ¿Quién descubrirá el más hermoso ángel de mármol?

◎ A los niños también suelen gustarles las excavaciones de las antiguas ciudades romanas y ver los mosaicos, los anfiteatros, las columnas, las termas. Si existe algo de eso en la ciudad, los niños deben conocerlo inexcusablemente a partir de los cinco años.

LAS REGLAS EN LA FAMILIA Y EL JARDÍN DE INFANCIA

Para una buena comprensión de las reglas, el fundamento lo marca la educación recibida por el niño de sus padres. En principio, debe tener alguna experiencia de ellas desde los primeros tres o cuatro años de vida. Sobre esta base, el jardín de infancia seguirá edificando. Es la única manera de lograr la integración en el grupo de sus coetáneos sin demasiadas dificultades y sin tensionar el grupo. La educación que ofrece el jardín de infancia se entiende siempre complementaria de la recibida en el seno de la familia.

Es en el jardín de infancia donde se pone de manifiesto la importancia de las reglas y las normas, porque ahora hay que convivir en un grupo. Para el niño eso es una novedad y trae nuevas normas que no todos asimilan automáticamente. Muchos tienen problemas de adaptación, en especial por lo que se refiere a limitar sus propias necesidades por consideración para con el grupo. El desarrollo saludable presupone la experiencia de las limitaciones; éstas son como fronteras de un territorio dentro del cual hay seguridad y orientación. De ahí la necesidad de que los educadores definan esas reglas de una manera coherente, no con rígida mentalidad ordenancista sino admitiendo modificaciones y matices individuales. En caso de transgresión, el pequeño debe soportar las consecuencias. La norma dirá por ejemplo:

◎ No se corre por la habitación llevando las tijeras en la mano. Si el niño lo hace a pesar de conocer la prohibición, se le quitan las tijeras durante todo un día.

◎ No se entra en el jardín de infancia con los zapatos de la calle. Si uno de los pequeños olvida quitárselos, se le envía de nuevo al guardarropa y que se los cambie.

◎ No se habla con la boca llena. Si lo hace una de las criaturas, se le interrumpe el discurso y se le recuerda la norma.

Los padres también deben conocer las reglas del jardín de infancia y hacerlas cumplir. Por ejemplo, la puntualidad a las horas de llevar y recoger a los niños. No darles chucherías para que «piquen» entre comidas. La función de ejemplaridad de los progenitores contribuye en gran medida a que los niños acepten las normas por las que se rige el colectivo. Con el tiempo, tanto en casa como en la institución los niños hallarán un equilibrio entre «deber» y «querer», por lo que se refiere al cumplimiento de reglas, prohibiciones y limitaciones.

Esta cita de autor desconocido ilustra la situación de la voluntad infantil:

❦

Si sólo he de poder cuando ellos quieren,
pero nunca he de poder cuando quiera yo,
entonces no querré cuando ellos quieren.
Pero si voy a poder cuando yo quiera
también cuando ellos quieren querré yo
y entonces podré cuando ellos quieran.

❦

Es oportuno elogiar a los niños pequeños cada vez que hagan las cosas bien; de esta manera se refuerza el comportamiento positivo y se acostumbran a obedecer las normas sin que nadie se las recuerde. *Porque la finalidad de las normas no es quebrar la voluntad infantil, sino proteger al niño y contribuir a una mejor convivencia entre todos.*

¿Qué pasaría si...?

Para que los niños entiendan mejor el sentido de las reglas, propondremos el juego de «qué pasaría si...», sobre situaciones límite que susciten resultados paradójicos. ¿Qué pasaría si...

◎ durante toda una semana los niños comieran exclusivamente chocolate?
◎ todo el mundo se hurgase la nariz estando sentados a la mesa?
◎ todo el mundo cruzase corriendo la calle con el semáforo en rojo?
◎ todos los vecinos se limitasen a vaciar sus cubos de la basura en la acera?
◎ nadie le echase el pienso a su mascota?

IDEAR REGLAS INVERSAS

Los niños adoran los juegos sobre el tema del «mundo al revés». Podemos aprovecharlo para una reflexión sobre la utilidad o la inutilidad de las reglas. Imaginemos lo que ocurriría si se invirtiese tal o cual norma:

◎ Que los padres vayan al jardín de infancia y los niños a trabajar.

◎ Que el cartero llame a las viviendas para llevarse las cartas y las almacene en la estafeta de Correos.

◎ Que los niños se vistan para acostarse y se desnuden para salir a la calle.

◎ Que en la casa no se pueda apagar la luz ni de noche ni de día.

◎ Que todo el mundo deba conversar a gritos en vez de hacerlo en voz normal.

◎ Que se prohíba dormir durante la noche.

PUNTEAR A LA CONCLUSIÓN DE LAS TAREAS

Colgamos en lugar bien visible el programa semanal con las tareas diarias de los niños. A medida que vayan siendo realizadas las puntearemos en la lista. Los pequeños serán invitados a concluir las que hayan dejado pendientes. El programa semanal se discutirá en una reunión familiar a fin de adaptarlo a las condiciones reales de cada momento:

◎ Lunes: vaciar la papelera.

◎ Martes: ayudar en la cocina.

◎ Miércoles: guardar los libros en la estantería, debidamente ordenados.

◎ Jueves: asear la habitación de los niños.

◎ Viernes: despejar el suelo para pasar el aspirador.

◎ Sábado: guardar en el cesto las prendas para lavar.

PLAN DIRECTOR

En los grupos de jardín de infancia surge a veces el problema de las rivalidades entre los niños. Menudean las discusiones porque hay varios que quieren mandar. Para estos casos suele dar buen resultado el «plan director». Es un programa semanal que dice quién manda cada día. Si suponemos que los «gallitos» sólo son cuatro, serán sólo cuatro los días de la semana con un «jefe» para todo:

> Nico = Lunes
> Tomás = Martes
> Vicente = Miércoles
> Florián = Jueves

DIBUJAMOS CARTELES

Los carteles y signos gráficos constituyen un buen elemento auxiliar. Desarrollemos nuestra creatividad con la de nuestros hijos. ¿Hay alguna regla que pueda simbolizarse ópticamente?

◎ Para quedarse un rato sin ser molestado: señal de «Stop» a la puerta de la habitación.

◎ Cuando los padres desean un rato de tranquilidad para leer o escuchar música: nube pintada en el suelo con el letrero «Silencio».

◎ En el frigorífico: «cierren la puerta, "porfa"».

Campanilla o gong para dar avisos

◎ Una señal acústica ayuda a marcar el cambio de una actividad a otra. Por ejemplo, para llamar a almorzar, o en el jardín de infancia, para convocar a un juego.

◎ Una cajita de música puede servir al mismo fin: hora de irse a la cama, por ejemplo.

◎ Una melodía suave puede anunciar, digamos, la hora de la siesta.

Saturno el mejor maestro de obras

En ninguna habitación infantil deben faltar los bloques para juegos de construcción, ni más tarde los juegos de montajes mecánicos. Es entre los tres y los cinco años de edad cuando los niños empiezan a construir deliberadamente y tratan de reproducir lo que han visto en su corta experiencia. La actividad de construir les sirve para comprender lúdicamente el espacio tridimensional. Además requiere otras cualidades como perseverancia, habilidad manual, capacidad de relación y de interpretación de figuras geométricas.

La actividad de construcción empieza tan pronto como el niño aprende a colocar un bloque sobre otro. La torre simple es una de las primeras obras que emprenden los de dos años de edad. Ahí principia un largo camino hasta la realización de construcciones complicadas como calles, puentes y creaciones arquitectónicas.

A medida que consigue, gracias a una infinidad de ensayos, apilar los elementos sueltos, *el niño va conociendo intuitivamente las leyes de la estática y del equilibrio.* Más tarde sus manos empezarán a formar hileras, muros, puentes y espacios cubiertos.

Para que todo eso sea posible hay que facilitarles, naturalmente, el adecuado *material para construcción.* Conforme vaya aficionándose y tenga experiencia, sus exigencias en cuanto al material se volverán más complejas. Y se enfadan mucho cuando no pueden concluir una obra por escasez de elementos.

En el jardín de infancia y en casa hay que reservarles un lugar especialmente para sus construcciones, de manera que puedan dejar las obras a medio terminar hasta otro rato y sin que las toque nadie. Son actividades que requieren bastante espacio.

Algunos niños ni siquiera empiezan a construir, porque temen verse obligados a recoger luego los materiales. Para este tipo de niños lo más indicado es darles una bolsa de tela o un cesto grande. En cambio, otros prefieren tener la caja original y lo guardan todo de manera ordenada cuando terminan.

Con *materiales adicionales* como arbolitos, animales en miniatura y pequeños vehículos se proporcionan estímulos adicionales a los niños de más edad, animándoles a perfeccionar los «pequeños mundos» que ellos han creado.

UNA PIRÁMIDE PARA EL FARAÓN

Los niños piensan a veces en la muerte, la brevedad de las cosas y el pasado. Una buena manera de ayudarles a asimilar estos temas es la visita al museo egipcio.

En la «escuela de la fantasía» del muniqués Rudi Seitz, los niños después de visitar el museo egipcio confeccionaron pequeñas momias en cartón piedra. Después de pintarlas a mano, las sepultaron en cajas de zapatos a guisa de sarcófagos. Añadiendo más cajas de zapatos vacías, crearon una especie de pirámide. Las momias fascinan a los niños. Esa ancestral costumbre de momificar a los faraones de Egipto, a los niños modernos les parece macabra pero dotada al mismo tiempo de una especie de belleza morbosa. El grupo infantil mencionado anteriormente halló pie para una intensa discusión sobre la muerte y la resurrección.

He aquí una de las interpretaciones infantiles que quedaron anotadas: «Las tumbas de los faraones se hallan dentro de las pirámides. Las momias despiertan a media noche y comienzan una nueva vida. En esta nueva vida pueden expresar un deseo que será cumplido. Deben desear algo que no hubiesen conseguido en la vida real».

Es conmovedor leer los deseos que los pequeños escriben en cintas de papel para pegarlas sobre las momias en miniatura confeccionadas y pintadas por ellos mismos:

—Deseo tener siempre con qué pagar.

—Me gustaría volar.

—Desearía tener poderes mágicos para hacer encantamientos.

—Deseo que alguien me regale un perrito.

—Deseo que mi papá y mi mamá vivan muchos años.

—Desearía no ser nunca un mendigo.

La «ardilla muerta» en el patio

A los siete años la visita a un cementerio debería formar parte del acervo de experiencias de los niños, o también la vivencia de haber enterrado un animalillo muerto, como un pájaro o un ratón. Cito a continuación un ejemplo del jardín de infancia:

Un lunes por la mañana estaban podando los árboles del jardín con la motosierra y los niños salieron a jugar en un patio contiguo. Cuando llegaron encontraron una ardilla muerta, caída en el suelo al lado de la verja. La noticia corrió como la pólvora y los pequeños formaron corro alrededor del pequeño cadáver, que contemplaban consternados. Martín salió corriendo para advertir a la educadora:

—¡Hay una ardilla muerta!

Ella acudió enseguida al «lugar del accidente». Dos de los niños mayores se hacían los entendidos y comentaban:

—Le han disparado con una escopeta de balines, ¿no veis que le falta un ojo?

Los demás miraban entristecidos y horrorizados. Para tranquilizarlos, la educadora dijo:

—Ahora se halla en el paraíso de las ardillas.

Una de las niñas mayores exclamó con indignación:

—¿Cómo va a ser eso, si no está enterrada?

No era mala idea, pero nadie tenía una pala.

—¡Pues cavaremos con las manos! —propuso alguien.

Pero no fue posible porque la tierra del patio estaba demasiado dura. Los niños estaban impacientes por encontrar una solución y que la ardilla pudiese ingresar en el paraíso de las ardillas. Por último, las tres niñas mayores y la educadora regresaron al jardín para traer unas azadas. Los demás, mientras tanto, recogieron flores y las depositaron sobre la ardilla. Con mucho cuidado y utilizando una de las azadas, metieron el cadáver en una caja de zapatos vacía. Luego aunaron sus fuerzas para cavar la fosa, enterraron a la ardilla con mucho sentimiento y sembraron más flores sobre el túmulo.

—¿Alguien quiere pronunciar una oración? —preguntó la educadora.

Las tres niñas juntaron las manos y una de ellas dijo espontáneamente:

—Ardilla que has muerto, te deseamos que puedas ir al cielo y que estés bien allí como nosotras en la tierra.

Con esta ceremonia terminó el entierro y los niños se alejaron visiblemente aliviados, aunque el incidente sirvió todavía como tema de conversación durante varios días más.

La vida y la muerte son tan inseparables como naturales. Es un error tratar de negarlo o de ocultárselo a los niños. Si se presenta un incidente como el de la muerte de la ardilla, intervendremos de una manera espontánea para explicar lo sucedido con arreglo a la comprensión infantil.

Domingo

El día del Sol

El Sol representa la confianza en uno mismo, la seguridad, la vitalidad, la voluntad, la luz, la energía vital, el poder, la individualidad, la valentía, la fuerza, la asertividad, la independencia y la chispa divina que hay dentro de mí.

Fortalecer el yo, apreciar los valores

El Sol del domingo nos transmite calor, alegría de vivir, vitalidad, generosidad, individualismo, confianza en nosotros mismos, deseo de expresarnos, vitalidad, voluntad, personalidad fuerte, jovialidad. Nuestra sonrisa es radiante como el Sol. Saber apreciar la propia valía y la de los demás.

EL SOL, FUENTE DE VIDA

El Sol es el centro de nuestro sistema planetario y el origen de toda la luz y la vida que contiene. El domingo era el *dies solis* para los romanos. La influencia de la luz solar sobra nosotros es obvia, ya que marca el ciclo diario de todas las actividades. Nos despierta por la mañana, nos da calor y nos transmite alegría y deseos de vivir. Lo mismo que los nuestros, regula los ritmos biológicos de todo el mundo animal y vegetal. Él hace que broten las plantas de la tierra, que se abran las flores y que maduren los frutos. ¡A nadie extraña que muchas culturas antiguas tuviesen al Sol entre sus dioses o diosas principales! E incluso el cristianismo conoce una noción simbólica dentro de ese campo, cuando Jesucristo dice de sí mismo «yo soy la luz del mundo». Como el corazón en el cuerpo humano, el Sol es la central generadora de energía para todos los habitantes vivos de la Tierra.

SUGERENCIAS PARA LA PRÁCTICA

◎ Visitamos un museo de pintura con los niños y centramos la atención, deliberadamente, en los autorretratos. Una vez en casa, *los niños dibujarán un autorretrato* (tal vez sobre fondo dorado, si quieren). Lo colocamos en un bonito marco y lo colgamos en lugar bien visible.

◎ Demostrémosles una y otra vez, con palabras y con hechos, *que los queremos y que son bienvenidos* en nuestra familia y en este planeta.

◎ *Es bueno que un niño esté orgulloso de sí mismo*, de lo que sabe hacer y por el hecho de ser quien es.

◎ Que los niños lleven un *Diario del Yo*. En un bonito cuaderno que hayan elegido ellos mismos, el domingo pueden dibujar y pegar los acontecimientos más hermosos de la semana. Pero si alguno está tan impaciente que no quiere aguardar hasta el domingo, también puede hacerlo cualquier otro día, naturalmente.

◎ Antes de acostarlos, diseñaremos un *ritual vespertino* con ideas como «lo que hoy me ha gustado más de ti... gracias», o «gracias por haberme dado una alegría con...».

◎ Les contamos cuentos, leyendas, sucesos de la historia sagrada y contemplamos libros ilustrados que traten de *personajes fuertes* y de *héroes con los que puedan identificarse.* Me refiero, por ejemplo, al joven príncipe del cuento o a la hermana pequeña que salió a explorar el mundo, a vencer peligros, a resolver enigmas, para regresar victorioso o victoriosa. Historias como la de David y Goliat, o la del arca de Noé y el arco iris con la promesa divina de que no habrá otro fin del mundo, cuentos como los de Pippi Calzaslargas y Ronia, la hija del bandolero, o leyendas reales como la de Francisco de Asís y la de Hildegard von Bingen también pueden ser de interés.

◎ Cuando la lluvia nos haya echado a perder una excursión, todavía cabe la posibilidad de salvar el domingo convirtiendo en *juegos de rol* las historias que hemos contado o leído.

◎ Se estima que todos los niños, a los siete años de edad, deben hallarse en condiciones de decir: «Hago tal cosa bastante bien, porque la he practicado. Me gustaría hacer igual de bien tal otra, por eso la practicaré». Que vaya sumando las experiencias de este tipo en los juegos, atándose los zapatos, en la cocina, escribiendo, usando las tijeras y el pegamento, con las plantas del jardín, con juegos de palabras, en el trato con los animales. El perfeccionamiento mediante la práctica mejora la destreza y transmite seguridad en uno mismo.

◎ Dediquemos el tiempo que haga falta a la celebración anual del cumpleaños, porque para el niño, *el cumpleaños es la fiesta del Yo.*

◎ Les *ayudamos a descubrir la luz solar,* su calor, sus sombras. Observamos el funcionamiento de un reloj de sol, y los colores del arco iris obtenidos por refracción con un prisma o un cristal natural.

◎ Puesto que *los ángeles, las hadas y los elfos son seres de luz,* impongámonos junto con los niños el deber de encontrarlos en relatos, cuentos y leyendas, así como en el reino de la luz.

GUÍAS Y SEGUIDORES

En los juegos de grupo los niños asumen estos roles, guiar y seguir, con lo que establecen una valoración para sí mismos y reconocen la de los demás. Si toman la iniciativa y dirigen un juego, deben asumir la responsabilidad de hacer cumplir las reglas del mismo. En caso de que el niño no quiera «dirigir», hay que darle un margen de tiempo para que cobre seguridad y lo haga bien. Necesitará pequeños impulsos por parte de las personas adultas:
—Lo estás haciendo muy bien.
—Inténtalo otra vez.
—Vamos a ver, ¡yo te ayudo!
A veces, para un niño resulta difícil escuchar las instrucciones de otro más pequeño y obedecerlas: ¡eso también es algo que hay que aprender!
Con los juegos de guías y seguidores los pequeños van adquiriendo confianza y se atreven a ensayar cosas nuevas. Con lo que aprenden también esto:
—Ya no necesito que me ayude mamá, ni papá, ni la «seño». ¡Puedo hacerlo yo solo! ¡Soy mayor!

«HACER COMO SI...» ES UN JUEGO DE ROL

—¡Yo seré la mamá y tú el niño!
Con este anuncio u otro parecido, espontáneamente los pequeños actores revisten una personalidad distinta. Empieza el juego de rol. Los niños representan lo que ven todos los días o lo que imaginan en sus mentes. Con estos juegos potencian la autoestima, aprenden a prever, a expresarse, a hacer alguna cosa

en colaboración con otros. Al cambiar de papeles en la representación, se van poniendo en el rol de los distintos protagonistas. Son capaces de pasar las horas muertas jugando a la familia, a las tiendas, al circo, al cartero, a policías y ladrones, a indios y vaqueros, a médicos y pacientes. Son capitanes, pilotos, cocineros, príncipes, princesas, gatos, perros y leones. No se necesita más que un rato, un espacio suficiente, unos cuantos pertrechos y la presencia de colaboradores.

El pequeño mundo de juguete

Los juguetes que hacen posible la construcción de un pequeño mundo propio sobre el que «reinar» son de utilidad extraordinaria para desarrollar una sana autoestima. Este tipo de juguete tiene una larga tradición en las habitaciones infantiles: no hay más que recordar la casa de muñecas, la cocinita infantil o la estación de servicio en miniatura. La percepción de los niños es diferente de la nuestra; como son pequeños y las cosas que los rodean no están hechas a su escala, muchas veces su entorno les parece abrumador y amenazador. En cambio, las miniaturas les proporcionan la sensación de dominio, de algo que pueden controlar a su antojo. Ellos mismos organizan los juegos con su «pequeño mundo» y se persuaden de que «ya son mayores».

Cada cumpleaños es una fiesta del Yo

La importancia del cumpleaños consiste en que, por una vez, el niño se siente protagonista durante todo un día. El aniversario del nacimiento nos recuerda lo más precioso que tenemos: la vida. Celebrémoslo juntos, por tanto, para comunicarle al homenajeado la sensación de ser alguien, más aún, de ser alguien importante.

Cuando nace una criatura, no es mala idea comenzar un diario para ella donde se vayan anotando, por ejemplo, la estatura, el peso, las tallas de la ropa y el calzado, tomando incluso las huellas de los dedos y de las plantas de los pies, si se quiere. En este libro guardaremos los dibujos del año pasado y, a cada aniversario, una foto reciente. Tomaremos nota de sus frases y ocurrencias más originales y de los acontecimientos principales del año. Si se mantiene esta costumbre con regularidad, se habrá creado un bello libro de recuerdos familiares que es un recuerdo para toda la vida.

Educamos hoy para mañana

Para concluir, y con carácter de recapitulación, quiero proponer un concepto pedagógico general para la familia y el jardín de infancia que ha sido desarrollado por un grupo de educadoras de Munich. Todo gira alrededor del bienestar de los pequeños, cuyas cualidades es menester valorar y tomar en serio. Porque la convivencia futura no depende sólo de los saberes y los conocimientos. Hay que desarrollar también los valores humanos. Creemos que el concepto en cuestión encierra posibilidades muy prometedoras para todas las personas que viven y trabajan con los niños.

¿Qué imagen tenemos de los niños?

Y ante todo, ¿qué esperamos de ellos? Para nosotros el niño tiene una personalidad que debe ser valorada y respetada. Pletóricos de energía, abiertos, sinceros, espontáneos, flexibles, alegres, imaginativos, creativos, activos, curiosos, libres, misteriosos, imprevisibles, los vemos siempre dispuestos a experimentar y aprender. Para nosotros los adultos son un desafío permanente y renovado todos los días, y una fatiga para los nervios porque cuando quieren también son rebeldes, desobedientes y coléricos. En cualquier caso, necesitan siempre cariño y paciencia, normas estables y capacidad de comprensión por nuestra parte. Con los niños hay que mantenerse siempre atentos a lo inesperado, pero ¿acaso las sorpresas y lo inesperado no mantienen nuestra mente joven y flexible? ¿No es conmovedor observar cómo se enfrentan a sus propios sentimientos? Ellos lo hacen con mucha más soltura que los adultos. *Ellos son los expertos en cuanto a su propio desarrollo; a nosotros nos toca situarnos como simples acompañantes.* Cada niño tiene su carácter individual y su propia historia, o como dice bellamente Khalil Gibran:

> **A los hijos puedes darles tu amor,**
> **pero no tus pensamientos,**
> **porque ellos tienen los suyos propios.**

LOS NIÑOS Y SUS NECESIDADES

Ellos quieren amor y demostraciones de afecto, calor, protección, confianza, amistad, normas, correr riesgos, poder imitar, poder cometer errores, vivir misterios y diversiones, jugar, moverse, alborotar, correr y trepar. Desean ensayar, experimentar, comer, beber, dar voces, reír, gritar, estar callados, dormir, estar un rato a solas sin sentirse observados, decir no y sí. Necesitan la ayuda y el reconocimiento de sus coetáneos y de nosotros los mayores. Muchas cosas han cambiado en la vorágine del mundo moderno, pero otras no. Sigue siendo cierto para todos los niños de la tierra que:

- ◎ Los niños necesitan un bienestar.
- ◎ Los niños quieren tener amigos.

◎ Los niños quieren ser amados por su familia.

◎ Los niños quieren sentirse reconocidos, apreciados y aceptados tal como son.

LOS DERECHOS DEL NIÑO SEGÚN LA CONVENCIÓN DE NACIONES UNIDAS

La declaración sobre los derechos del niño de 20 de noviembre de 1959 ha sido recogida y ampliada en la «Convención sobre los derechos del niño» promulgada por la Asamblea General de Naciones Unidas el 20 de noviembre de 1989, teniendo debidamente en cuenta la importancia de las tradiciones y los valores culturales de cada pueblo para la protección y el desarrollo armonioso del niño, y reconociendo la importancia de la cooperación internacional para el mejoramiento de las condiciones de vida de los niños en todos los países y, en particular, en los países en desarrollo. Ha sido ratificada por todos los países excepto Somalia y Estados Unidos de América. Coincidiendo con Loris Malaguzzi de Reggio, especialista en pedagogía del arte, podríamos decir que:

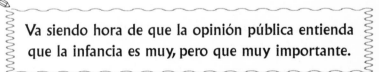

Va siendo hora de que la opinión pública entienda que la infancia es muy, pero que muy importante.

En resumen se trata de:

1. Derecho a la vida, al nombre propio, a la nacionalidad y a la religión.
2. Trato justo y protección frente a la discriminación.
3. Derecho a familia, residencia y vivienda segura.

¿Por qué voy al jardín de infancia?

El primer paso, el que consiste en salir del ambiente familiar, privado y protegido, al espacio público de una institución pedagógica, es una experiencia decisiva para los niños. He querido averiguar cómo racionalizan los niños este suceso. ¿Qué esperaban encontrar en el jardín de infancia? ¿Qué vivencias creen que les proporciona? A la pregunta «¿por qué vas al jardín de infancia?», respondieron así:

Porque así aprendo a estar sentado muchas horas
antes de ir a la escuela.

Los niños aprenden a estar callados, no como en sus casas
donde siempre hablan e interrumpen a los demás.

Porque es divertido y me pongo disfraces y bailo.

Porque me dejan salir al jardín cuando quiero.

Porque tienen muchos lápices de colores.

4. Derecho a seguridad social y nivel de vida adecuado.
5. Derecho a la salud.
6. Derecho a ser protegido frente a adicciones y drogas.
7. Derecho a tiempo de ocio, al juego y al descanso.
8. Derecho a una intimidad personal.
9. Derecho a recibir educación y formación.
10. Derecho a informarse, a opinar, a ser escuchado y a participar en reuniones.
11. Protección frente a sevicias, violencias, negligencias, abusos sexuales y explotación.

Porque tengo a muchos amiguitos aquí.

✻

Porque aquí tengo mucho tiempo para mí y no he de ir
a clase de ballet.

✻

Porque me dejan jugar y jugar y jugar todo lo que quiero.

✻

Porque así mamá hace cosas en casa sin que yo ande estorbando.

✻

Porque mamá tiene que salir a trabajar y no sabe qué hacer
con los niños.

✻

Porque Iker y Marvin me ayudan a construir un avión.

✻

Para que mamá tenga tiempo para fregar y limpiar el váter.

✻

Porque en casa los niños pequeños te ponen nerviosa
y lo rompen todo.

✻

Para que mamá pueda salir de compras.

12. Derecho a indemnización en caso de sufrir malos tratos, violencias, torturas o guerras.
13. Derecho a recibir un trato humano en caso de incurrir en delito.

Los derechos de los niños en la práctica cotidiana

La Convención de Naciones Unidas expresa unas proposiciones abstractas, pero todavía es necesario concretarlas para la práctica de la vida cotidiana. De ahí la relación de derechos que figura en la página 219, y que servirá para recordarnos los principios a que debemos atenernos. Ha aquí un par de sugerencias:

Cada día elegimos un punto de esa lista, que será el centro de interés para toda la jornada. Por ejemplo, «recibir consuelo, ayuda y amparo», o «voz para discutir y aprender a asumir los conflictos». Observamos a los niños desde el punto de vista elegido. Aprovechamos oportunidades para hacer referencia a ese aspecto en las conversaciones, contemplamos imágenes, inventamos narraciones y buscamos cuentos, libros, juegos y películas que lo desarrollen. Tratamos de observar juntos el comportamiento de los animales. ¿En qué maneras pueden contribuir los mayores a que los pequeños tomen conciencia de dicho aspecto? ¿Cómo lo vivencian en cada momento? ¿Qué asimilan con más facilidad? ¿Qué otras cosas les resultan más difíciles de aprender? ¿Cuáles interesan sinceramente? ¿Qué otras les traen sin cuidado? ¿Cómo podríamos orientar su atención? ¿Qué experiencias comunican la familia y el grupo infantil? Adoptemos la costumbre de tomar nota de nuestras observaciones, así podremos seguir la evolución de los niños.

«La vida es bella y nos alegra»

¿Es posible contrarrestar la pérdida de valores contemporánea? Concedámosles una oportunidad para verificar que la vida es bella: ¡hagamos de ese lema una realidad en la familia y en el jardín de infancia! En el libro de estilo de las educadoras de la *Kindertagesstätte Blumenstraße* de Munich leo este pronunciamiento, que también puede ser asumido por las madres y los padres:

1) Ser objeto de amor, cariño, aceptación y protección (véase el capítulo sobre el amor).
2) Experimentar confianza, comprensión y seguridad.
3) Recibir consuelo, ayuda y amparo.
4) Albergar sentimientos, notar que son aceptados y poder expresarlos (véase el capítulo «Lunes»).
5) Vivir a su propio ritmo.
6) Voz para discutir y aprender a asumir los conflictos.
7) Disfrutar y respetar la comida y la bebida (véase el capítulo sobre obrar correctamente).
8) Descansar y poder disfrutar de la tranquilidad (véase el capítulo sobre la paz).
9) Valor para asumir riesgos (véase el capítulo «Martes»).
10) Movimiento, juegos, experimentación.
11) Descubrir secretos y guardarlos.
12) Vivir libre de violencias físicas y mentales (véase el capítulo sobre la no violencia).
13) Independencia y facultad para actuar bajo su propia responsabilidad.
14) Vivir en el respeto y la consideración para consigo mismo y para con los demás (véase el capítulo «Domingo»).
15) Derecho a tomar la palabra en las «conferencias familiares» y a negociar las normas (véase el capítulo «Sábado»).
16) Vivir y fomentar la compasión, la sinceridad, la coherencia.
17) Vivir su fantasía y sus mundos imaginarios (véase el capítulo sobre la verdad).

Que sea para nosotras designio principal
el de transmitir a los niños valores
como los de solidaridad, tolerancia, sinceridad,
consideración y disposición para ayudar.

Y desde su escuela de la fantasía, Rudolf Seitz nos invita a:

> Una de nuestras mayores misiones es la que consiste
> en conservar o recuperar para los niños
> el aquí y ahora. Ellos tienen derecho
> a la felicidad del instante, lo mismo que nosotros.

Todos los padres y todos los educadores y educadoras desean lo mejor para los niños. He aquí un par de indicaciones sobre cómo se supera —en el día a día de los niños— la merma de valores característica de nuestra sociedad. Se trata de ayudarles a desarrollar sus destrezas y aptitudes; de ayudarlos a familiarizarse con su mundo, y que éste sea tan amigable para los niños como sea posible; de respaldarlos en su facultad de decisión, dentro de las posibilidades de su edad, y de habituarlos a la tolerancia. De enseñarles a trabajar en grupo.

Hoy día, los niños viven en un mundo condicionado por la rentabilidad y la tecnología. Es un mundo pletórico de informaciones y nosotros les ayudaremos a asimilarlas por medio de juegos, conversaciones, relatos imaginarios y juegos de rol. Creamos situaciones lúdicas y de aprendizaje que les ofrezcan oportunidades para:

◎ identificarse con otros niños y confiar en ellos;
◎ integrarse en el grupo, encontrar su lugar y sentirse a gusto en el mismo;
◎ resolver adecuadamente los conflictos.

En todos estos procesos, lo principal es que nos mantengamos atentos a las necesidades básicas emocionales, sociales, físicas e intelectuales de los pequeños. Si se dan todas estas condiciones, los niños aprenderán a asumir la responsabilidad de sus actos, en la medida correspondiente a su edad.

Las competencias de los niños

Es importante que los padres y los educadores apoyen el desarrollo de la autoconfianza y la valentía en los niños. Se hallarán muchas sugerencias prácticas al respecto en el capítulo «Vivir los valores con los niños todos los días». Hay que darles tanta guía como necesiten, y tanto margen de acción independiente como sea posible, para que descubran el mundo por su cuenta. ¡Que la educación no sea demasiado opresiva o «limitativa»! El suizo Jean Piaget, especialista en la evolución del psiquismo infantil, ha escrito:

> **Al enseñarles tantas cosas a los niños impedimos que éstos las exploren y descubran por sí mismos.**
>
> ~
>
> Las competencias del Yo
>
> *(Las sugerencias para la práctica se hallarán en los capítulos «Lunes» y «Domingo».)*

La finalidad es que los niños hayan desarrollado un Yo fuerte antes de la edad escolar:

◎ Que tengan valentía y confianza en sí mismos, para que sean independientes en la medida de lo posible.

◎ Que aprendan a manifestar su voluntad por vía verbal y no verbal.

◎ Que tomen decisiones dentro de lo que corresponde a su edad y que aprendan a asumir las consecuencias.

Las competencias sociales

(Las sugerencias para la práctica se hallarán en los capítulos «Domingo», «Paz» y «Amor».)

Desarrollar un fuerte sentido de pertenencia a la familia y al grupo en el jardín de infancia:

◎ Acostumbrarse a actuar con franqueza, no con espíritu competitivo, y desmontar prejuicios.

◎ Sentir compasión por otros y saber expresarla.

◎ Saber resolver conflictos y hallar soluciones constructivas.

◎ Desarrollar fuerte conciencia del yo y de la propia identidad.

Las competencias objetivas

(Las sugerencias para la práctica se hallarán en los capítulos «Actuar correctamente» y «Sábado».)

La finalidad es que en los primeros siete años, los niños sean capaces de desenvolverse casi con independencia en los quehaceres cotidianos.

◎ Vestirse y desnudarse, ir al aseo, lavarse las manos, cepillarse los dientes.

◎ Conocer las reglas y costumbres que rigen en la familia y en el jardín de infancia.

◉ Saberse de memoria su propio nombre y apellidos, la dirección del domicilio familiar y el número de teléfono.

◉ Saber comer con cuchara, cuchillo y tenedor.

◉ Disfrutar estudiando, escuchando y prestando atención detenida a las tareas.

◉ Recoger sus lápices y pinturas, así como los juguetes, y asear la habitación.

◉ Mostrar curiosidad por averiguar y conocer cosas, tener los sentidos despejados.

Tomar en serio los sentimientos de los niños
(Las sugerencias para la práctica se hallarán en el capítulo «Lunes».)

En el día a día de la familia y de la institución pedagógica, la convivencia tiene un papel muy relevante. Los adultos se tomarán en serio los sentimientos de los niños y adoptarán una actitud comprensiva. *Hay que permitirles esos sentimientos y estimularlos para que los comenten, incluso cuando sean de ira o de tristeza.* Sin tratar de quitárselos de la cabeza y sin emitir valoraciones, limitándonos a escuchar. De este modo, desarrollaremos confianza y amistad. Como dice un antiguo y sabio proverbio árabe:

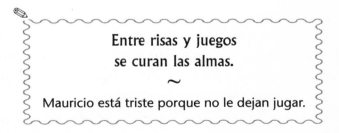

**Entre risas y juegos
se curan las almas.**

~

Mauricio está triste porque no le dejan jugar.

Veamos un ejemplo del jardín de infancia, de cómo los niños y la educadora negociaron y resolvieron una situación conflictiva.

Siempre en acción, y apreciado por todos como compañero de juegos, Mauricio está sentado ahora a la mesa, melancólico e indiferente a todo lo que le rodea. La educadora se sienta a su lado y le pregunta si es que está triste. Él asiente con la cabeza y se echa a llorar. Ella le pide que cuente lo que le pasa, y el niño dice:

—Max y Fernando estaban jugando con sus coches en la pista de señales de tráfico. Entonces yo les pregunté si podía jugar con ellos, y Max ha dicho que no.

Acompañada de Mauricio, la educadora va en busca de Max y de Fernando y les pide explicaciones por la negativa a jugar con aquél. Max dice que sólo quiere jugar con Fernando. Entonces la educadora les pregunta:

—¿Y qué os parece cómo estará Mauricio ahora?

—Mauri estará enfadado porque no queremos que juegue con nosotros —corroboran los niños.

Y resulta que el día anterior se habían puesto de acuerdo para traer sus camiones de bomberos y jugar con ellos en el jardín de infancia. Pero Mauricio no conocía este plan, y por eso no querían que les echase a perder el juego. Se acuerda que durante los próximos días Mauricio será invitado a jugar con ellos. El afectado acepta el arreglo, y así los niños solucionan el problema sin necesidad de más intervención.

El saber es fuerza y alegría

Una sana autoestima es importante para el niño. Más adelante necesitarán conciencia de sí mismos y capacidad para la crítica y la decisión para imponerse en el mundo.

Procuraremos ofrecer a los niños numerosas ocasiones para desenvolverse solos, aunque ello suponga, inicialmente, un cierto desorden y pérdida de tiempo. En ello nos ayudará el instinto natural de emulación que tienen, así como su curiosidad y su afición a experimentar. En la rutina doméstica diaria y en el jardín de infancia se darán muchas oportunidades, como poner la mesa, servir las bebidas, recoger lo que se haya vertido o derramado. O cuando practiquen manualidades, recortar figuras, pegar, mezclar colores, o simplemente pasar la lupa por la estancia por si hacen algún descubrimiento.

Conferencias infantiles y familiares

La «conferencia infantil» es una conversación de 15 a 30 minutos, en el seno de la familia o en el jardín de infancia. Participan los niños con los adultos, y todos tendrán oportunidad de contar los acontecimientos de la jornada y de expresar deseos o críticas. No se interrumpe a nadie, ni se critica lo que haya dicho nadie. Las reuniones se celebrarán con regularidad, o cuando lo estimen necesario los niños. En ellas desarrollaremos ideas de proyectos comunes, reglas, planes de asignación de tareas y cuestiones del menú. Así los niños aprenden a expresar su opinión, a escuchar las opiniones de los demás, y pondrán en práctica su capacidad de compromiso y de solidaridad. Por último, aprenden a acatar una decisión tomada por la mayoría del colectivo. A su vez, los adultos aprenden a escuchar lo que dicen los niños y conocen sus deseos y sus temores. Los pequeños disfrutan con estas discusiones y les enorgullece que sus propuestas sean tenidas en cuenta.

Apreciar el valor de lo ajeno a nosotros

Entre nosotros hay cada vez más niños procedentes de otras culturas. Es importante que la educadora del jardín de infancia sepa promover la integración de los hijos de inmigrantes, que no es mala práctica de tolerancia y de solidaridad. Casi todos los niños encuentran interesante y emocionante que se diga algo de las culturas, las costumbres, las lenguas, los alimentos, las fiestas y las danzas de otros países, los países de donde provienen esos inmigrantes. El trato cotidiano se establece de una manera completamente natural. Como bien dice el escritor Karl Valentin de Munich:

> Todos nosotros somos extranjeros
> casi en todas partes.

SUGERENCIAS PARA JUEGOS CON LENGUAS EXTRANJERAS

El juego diario sobre el tema de una lengua extranjera no debe faltar. La elección corresponde a los niños, bien sea inglés, francés, árabe, ruso, chino... Los niños recitan en voz alta los números, aprenden las fórmulas de saludo y despedida, cantan una canción, recitan un verso. No hay que olvidar que la lengua materna es nuestra residencia en la tierra. Y para cultivarla, hay que establecer una buena relación con el niño.

> **Un, dos, tres**
> **al escondite inglés**
> **sin mover las manos**
> **ni los pies.**

En este juego se puede hacer la cuenta en los idiomas originarios de los niños. Así, todos aprenderán a contar en estas lenguas extranjeras, y sonará más o menos así:

eins zwei drei	ALEMÁN
bir iki ütch	TURCO
uno due tre	ITALIANO
uno dos tres	ESPAÑOL
one two three	INGLÉS
un deux trois	FRANCÉS
een twee drie	HOLANDÉS
ett tva tre	SUECO
yksi kaksi kolme	FINLANDÉS
en to tre	DANÉS
jedan dva triserbo	CROATA
ena dio tria	GRIEGO
adin dva tri	RUSO
wahid iman talata	ÁRABE
ichi ni san	JAPONÉS
hana do set	COREANO
satu dua tiga	INDONESIO
nüng soong sam	TAILANDÉS

Existen otros muchos juegos que nos permitirán familiarizarnos con los idiomas extranjeros y apreciarlos. Este ejercicio fortalece la personalidad de los niños y predispone una mentalidad abierta frente a otras culturas. El ejercicio de las variaciones de pronunciación y los juegos que lo acompañan producen placer, además de desarrollar las facultades lingüísticas de los pequeños, y lo mismo el recitado de versos en diversas entonaciones, acompañados quizá de alguna mímica o coreografía peculiar y de diferentes modalidades expresivas (como voz baja o fuerte, tiempo lento o rápido, etc.).

Seguridad, movilidad, creatividad

La seguridad de los niños es un tema que nos preocupa mucho a todos, por ejemplo en lo que concierne al tráfico. Educarlos en la disciplina vial es o debería ser un elemento importantísimo del programa de todos los jardines de infancia. Con frecuencia se recurre a la ayuda de profesionales, guardias de tráfico o profesores de autoescuelas que sepan algo de pedagogía. También es conveniente que los niños desarrollen una buena conciencia propioceptiva y dominio de su motricidad. Los niños carentes de experiencia no distinguen bien los peligros. Como los desconocen, no saben evaluarlos ni reaccionar adecuadamente. Hay que ofrecerles juegos para el entrenamiento de la percepción, la concentración, la capacidad de reacción y el equilibrio psicomotor.

El movimiento es importante

Los movimientos de los juegos y los deportes, tales como correr, saltar, trepar, reptar, deslizarse, columpiarse, hacer «lucha libre», hacer equilibrios, el escondite, los juegos de persecución, y los que utilizan diversos elementos como la arena y el agua, los balones de cuero y goma, los zancos, las sogas y, por supuesto, la natación, transmiten a los niños muy variadas experiencias y así se familiarizan con su propio cuerpo. Por tanto, bien podemos afirmar que el movimiento tiene una importancia fundamental para el sano desarrollo. Aprenden a conocer sus propios recursos físicos, a sentirse a gusto con su cuerpo, a disfrutar el ejercicio.

Cazadas al vuelo: conversaciones de niños extranjeros

He aquí algunas conversaciones infantiles cazadas al vuelo y que demuestran la competencia de la mentalidad infantil, y de qué maneras tan admirables los pequeños superan la dificultad, por ejemplo descubriendo circunloquios perfectamente lógicos para las palabras que desconocen.

Florián ha visto un libro de fotografías en donde aparece un oso polar. Pero aunque conoce esa palabra y la tiene en la punta de la lengua, no se acuerda y prefiere decir el oso de nieve.

Estamos sacando punta a los lápices de colores.
Ismail le pregunta a un amiguito suyo:
—*¿Lleváis el lápiz al afilador?*

Lulú tiene sed pero no recuerda el nombre de la gaseosa,
por lo que pide:
—*Un vaso de agua con puntitos, por favor.*

Un niño extranjero está contemplando la imagen
de una campesina que ordeña una vaca:
—*Ésta es la mujer que exprime la leche de la vaca.*

Domenico no sabe decir «paracaídas» y lo llama
el paraguas del aviador.

A Dimitrios le han regalado un reloj nuevo y está muy orgulloso:
—*Es un reloj la mar de bueno, incluso es un reloj impermeable.*

El perro se detiene delante de la madriguera de un topo.
Al preguntarle qué es lo que está haciendo el perro, Hakan explica:
—*Se está comiendo la casa de la rata.*

«EN EL PARQUE ME HA BESADO UNA MUJER DESCONOCIDA»

Para defender de los abusos a los niños, conviene organizar juegos de rol de este tipo: «En el parque me ha besado una mujer desconocida», «un hombre desconocido quería invitarme a dar una vuelta en su coche y prometió enseñarme unos perritos». ¿Qué hacer? Buscamos soluciones en diálogo con los pequeños. *Hay que conseguir que sean conscientes de su absoluto derecho a decir «no», aunque sea una persona adulta quien les habla.* El niño es dueño de su cuerpo y dueño de lo que va a consentir. Por tanto, hay que enseñarle a asumir la responsabilidad por sí mismo y por su cuerpo, en función de su edad. Al mismo tiempo, conseguiremos que pierdan el temor a hablar de estos temas delicados.

EDUCAR PARA LA CREATIVIDAD

Otro centro de gravedad de la asistencia al jardín de infancia es el desarrollo de la creatividad. Tratamos de vivir conscientemente con los niños en el reino de los sentidos y que aprendan a mirar, escuchar, olfatear, gustar y palpar. De esta manera se les agudiza la percepción y viven más intensamente la fantasía, la sensibilidad, la creatividad y la flexibilidad. Pintan, hacen montajes, juegan, hacen música, bailan y experimentan. El psicólogo Bruno Bettelheim, autor del libro *Los niños necesitan cuentos*, asevera que:

> La educación de los niños
> es una misión creativa
> en la que interviene mucho más
> el arte que la ciencia.

Fundamentos metodológicos
del trabajo educacional

Para un resultado óptimo, el trabajo pedagógico debe tener por referencia la realidad vivida del niño. Todo lo que le ocurre en el decurso de la jornada tiene su importancia, y los planteamientos que se le hagan referidos a una situación nunca dejan de surtir su efecto. Si se cae, le cantaremos una canción para consolarlo. Si aparece un arco iris en el cielo, lo contemplaremos juntos, y si hace calor iremos a nadar. Los niños aprenden más por experiencia propia, con la práctica y poniendo en juego todos los sentidos, que memorizando las lecciones magistrales de los adultos.

El enfoque debe ser integral, hablando simultáneamente al cerebro, al corazón y a la mano. Se debe conceder igual importancia a todos los aspectos del desarrollo infantil, digamos los conocimientos, la actividad práctica, los sentimientos, la confianza en sí mismo, la creatividad, la movilidad física y el dominio del lenguaje.

¿Qué es lo más importante del trabajo pedagógico? Loris Malaguzzi dice que:

«Sin el poder de la fantasía, una pedagogía totalmente centrada en el realismo caería en el aburrimiento. Es preciso que los niños ejerciten el olfato, la vista, el gusto y el tacto para descubrirse a sí mismos y descubrir el mundo. Pese a todos los recursos pedagógicos auxiliares de que hoy se dispone incluyendo la iniciación en el manejo del ordenador, la naturaleza sigue siendo la mejor escuela. Por otra parte, los niños tienen derecho a desarrollar soluciones propias, que tratándose de niños obviamente serán soluciones provisionales.»

◎ Considerar a los niños como seres dotados de personalidad propia, con sus puntos fuertes y sus puntos débiles.

◎ Estimularlos de acuerdo con el principio de «ayúdame a hacerlo yo mismo».

◎ Crear un buen clima de grupo para que cada uno de los niños pueda integrarse bien, evolucionar y sentirse a gusto.

La adaptación al jardín de infancia

El primer día de asistencia es motivo de alegría para niños y mayores. Pero no quita que sea también un día de preocupación, por si el pequeño se adaptará bien, si hará amigos. ¿Se dará cuenta la educadora si le ocurre algo y necesita ayuda? La entrada en el jardín de infancia marca una nueva etapa en la vida de las criaturas y en la de los progenitores. Es motivo de esperanza pero también de inseguridad y temor.

¿QUÉ PUEDEN HACER LOS PADRES?

A los progenitores les cumple preguntarse: ¿tengo algún problema para permitir que mi pequeño emprenda este primer gran paso hacia la emancipación? ¿Me preocupa la idea de que otra persona adulta pase a desempeñar un rol tan importante en la vida de mi hijo o hija? ¿Seré capaz de «compartirlo»? ¿Estaré transfiriendo al pequeño mis propios temores y es por eso que se aferra a mí?

Antes de la primera asistencia, le proporcionaremos oportunidades de permanecer durante dos o tres horas con un grupo de juegos, o en casa de los abuelos o de unos conocidos. De este modo, aprenderá que al alejamiento de la madre le sigue siempre un reencuentro e irá venciendo el miedo a la separación, si es que ese miedo llega a presentarse. Se transmite al niño la noción de que este primer paso hacia la independencia, además de necesario, es bueno y correcto, e incluso puede ser divertido.

No es oportuno reírse de los temores infantiles, ni mucho menos reñir al niño que se resiste a la separación. Al contrario, trataremos de infundirle valor y le diremos lo mucho que nos enorgullece tener un niño tan mayor que ya va a clase. Hay que explicarle lo que es el jardín de infancia y tratar de aguijonear su curiosidad. Se le dirá que conocerá a otros niños, que tendrá nuevos juguetes, que aprenderá juegos y canciones. Le contaremos anécdotas positivas que recordemos de nuestra propia experiencia. De ninguna manera hay que amenazarlo diciéndole cosas por el estilo de «es para que aprendas de una vez a hablar como una persona, a llevarte bien con otros niños y a permanecer quieto y sentado».

Varios paseos de ida y vuelta entre el domicilio y el lugar donde se halle el jardín de infancia proporcionarán impresiones y momentos de reconocimiento que infundirán confianza. En el recorrido le propondremos el juego del «caminito»:

—¿Recuerdas lo que hemos visto por el camino? ¡A ver si sabes las calles por donde hemos pasado!

«EXPEDICIÓN DE RECONOCIMIENTO» DEL JARDÍN DE INFANCIA

Los padres y el niño visitarán el establecimiento al menos una vez, antes del ingreso efectivo. Con esta «expedición de reconocimiento» trataremos de formarnos una idea en cuanto al día a día y las actitudes de la educadora. Hay libros ilustrados tipo *Mi primer día en el jardín de infancia* que también servirán para comentar el tema en casa y contienen sugerencias para la conversación.

Una «piedra de la buena suerte» en el bolsillo, que pueda tocar el niño en todo momento, o sacar para contemplar su bella coloración, le dirá «no tengas miedo, es sólo un rato de separación y luego mamá te llevará otra vez a casa». Debe ser un pequeño secreto, conocido sólo por el niño y mamá, o la persona adulta de referencia.

Nuevos desafíos para el niño

- ◎ Ausencia del padre y de la madre durante cierto número de horas.
- ◎ Aprender a tratar con nuevos personajes de referencia y confiar en ellos.
- ◎ Tener que compartir esa persona de referencia con el resto de los niños.
- ◎ Puede ocurrir que se preocupe por si mamá toma a mal que él o ella se encariñe demasiado con la educadora.
- ◎ Tener que someterse a nuevas reglas.
- ◎ Adaptación a un nuevo ritmo de la jornada.
- ◎ Aprender a divertirse, pelear y reconciliarse con los demás.
- ◎ Comprobar que hay muchas cosas que sabe hacer muy bien, y otras no.

Para la aclimatación al jardín de infancia

Es importante conceder a cada niño y a sus padres un determinado período de habituación. Desde hace algún tiempo, las educadores ofrecen a los padres la posibilidad de hallarse presentes. La experiencia demuestra que esto es útil durante el período inicial de exploración de las instalaciones, del colectivo y de la rutina cotidiana por parte del niño. La presencia del padre o de la madre los tranquiliza. Los progenitores conocen a la educadora y se familiarizan con sus métodos. Se les anima a entrar en diálogo. Todo eso, sin sujetarse a unos plazos fijos. Cada niño tiene derecho a su propio ritmo de aclimatación.

AMBAS PARTES APRENDEN A CEDER

Es la etapa siguiente, a la que ambas partes deberán acostumbrarse paso a paso, de la manera más individualizada y flexible posible, *con paciencia y comprensión para el estado de estrés emocional en que se hallan tanto los niños como sus padres*. Para los niños, lo principal durante las primeras semanas es afrontar la situación, darse cuenta de que todo es previsible y está organizado en forma de ritos estables. Lo fundamental es facilitar experiencias positivas a los niños en esta importante transición de la vida.

EL PAPEL DE LAS EDUCADORAS

Las educadoras se consideran a sí mismas como protectoras y «abogadas» de los niños. Los acompañan en su recorrido preescolar y representan sus intereses. Importa comprender a cada criatura como dueña de una personalidad propia. La actitud de expectativa frente a los pequeños no debe ser exagerada: el criterio al colocar el listón ha de ser sumamente realista. A cada uno se le toma en el punto exacto en que se encuentre su desarrollo. Las actitudes de los adultos, sus esperanzas y sus ideas preconcebidas nunca deben obstaculizar el desarrollo infantil, sino al contrario, suministrarle impulsos que fomenten las destrezas y talentos especiales que haya empezado a manifestar. Confiemos en los niños y en las niñas, y en su capacidad para hacer cosas. Paciencia y posicionamiento básicamente positivo es lo que requiere el trato con ellos.

No se trata de persuadirlos de nada, sino de procurar tratarlos con la mayor autenticidad y sinceridad posibles de pensamiento, acción y senti-

miento. Porque los niños tienen un «radar» infalible para las palabras fingidas y los comportamientos afectados.

¡No hay que olvidar tampoco el sentido del humor ni las risas! Vivimos con ellos sus problemas y sus sorpresas, lo que nos permite comprobar que «¡La vida es bella! ¡La vida nos ofrece los medios para divertirnos y ser felices!».

¿Qué es lo que más os ha gustado del jardín de infancia?
He aquí las respuestas de un grupo de niños y niñas después del primer año de asistencia a la pregunta «¿qué es lo que más os ha gustado, y lo que menos?».

El gimnasio y el jardín con su estanque.

La hamaca. Todo, en realidad.

Los amigos. He hecho muchos allí.

El banco de trabajo. Puedes fabricar cualquier
pieza que quieras.

Me gusta ir, aunque los viernes obligan a recoger
todas las cosas.

Demasiados árboles en el jardín, no queda espacio para correr.

A los niños que rompen alguna cosa los llaman «rompetechos»
durante un minuto.

Algunos niños son un poco guarretes y dejan el váter
hecho un asco.

En septiembre vamos a la escuela

Terminado el período preescolar, toca despedirse de aquel entorno conocido y prepararse para abordar otro nuevo. ¿Qué esperan encontrar en la escuela los niños?

Aprenderemos a leer, a hacer cuentas y a escribir.

❄

Cuando los niños no obedecen, la «seño» se enfada
y se pone muy seria.

❄

En otros tiempos, a los que se portaban mal les colocaban
unas orejas de burro.

❄

Me gustaría que me premiasen cuando haga algo bien.

❄

Si me hago daño, que me ayuden a levantarme.

❄

Quiero una señorita nueva que vaya elegante, que sea guapa
y que lleve muchas joyas.

Con tan variadas opiniones infantiles, doy por finalizado mi repaso y espero haber ofrecido muchas sugerencias y fundamentos conceptuales a padres, madres, abuelos, padrinos, tíos y tías, vecinos y amigos, educadoras, profesores y profesoras, pedagogos y personal dedicado a la enseñanza en general, de quienes depende el futuro de nuestros infantes. ¡Que disfruten todos mientras «plantan» y «riegan» el árbol de los valores!

Fuentes consultadas

A continuación se enumeran las fuentes consultadas, con indicación de página. Sentimos no haber podido localizar todos los autores y orígenes de las citas, y agradeceremos cualquier indicación al respecto, a fin de poder incluir la mención en futuras reimpresiones. Las encuestas infantiles han sido realizadas por Gudula Brunner en el jardín de infancia municipal de Hochstand, Munich.

Los valores humanos en la educación

p. 9: Hans Küng, «Die Goldene Regel», Stiftung Weltethos, Tubinga 2000, www.weltethos.org.

p. 9: Stiftung Weltethos (recop.), *Das Projekt Weltethos in der Schule*, Tubinga 2002.

p. 25: Horst-Eberhard Richter, *Das Ende der Egomanie. Die Krise des westlichen Bewusstseins*, Colonia 2002.

Brigitte Beil, *Gutes King, böses Kind. Warum brauchen Kinder Werte?*, Munich 1998.

Lothar Klein, *Mit Kindern Regeln finden*, Friburgo 2000.

Arnim Krenz, *Wie Kinder Werte erfahren. Wertevermittlung und Umgangskultur in der Elementarpädagogik*, Friburgo 1999.

Gerda y Rüdiger Maschwitz, *Wo unsere Wurzeln liegen. Weisheiten und Traditionen neu entdeckt. Anregungen für jede Woche des Jahres*, Munich 2001.

Jamie Miller, *Mit Kindern Werte entdecken. Spiele und Ideen*, Friburgo 2000.

La verdad

Heike Baum, *Ich hab aber nicht geschwindelt! Vom Umgang mit Lüge und Wahrheit*, Munich 2002. (Edición española: *¡No he dicho ninguna mentira! Cómo tratar la mentira y la verdad*, Oniro, Barcelona 2003.)

Susanne Stöcklin-Meier, *Kinder brauchen Geheimnisse. Über Zwerge, Engel und andere unsichtbare Freunde*, Munich 1998.

—, *Unsere Welt ist bunt! Mit Geschichten, Versen und Spielen die Farben entdecken*, Munich 2001.

Obrar correctamente

p. 60: Wolfgang Bergmann, *Gute Autorität. Grundsätze einer zeitgemäßen Erziehung*, Munich 2001.

p. 63: Donata Elschenbroich, *Weltwissen der Siebenjährigen. Wie Kinder die Welt entdecken können*, Munich 2001.

p. 72: Peter DeMarchi, «Aggresion im Kindergarten», *Basler Zeitung* de 30 de mayo de 2002.

p. 72: Prof. Dr. Françoise D. Alsaker, «Kleine Qualgeister und ihre Opfer», conferencia 2002.

Heike Baum, *Mit dem spiel ich nicht! Vom Umgang mit Ablehnung und Ausgrenzung*, Munich 2002. (Edición española: *¡Con ése no quiero jugar! Cómo tratar el rechazo y la discriminación*, Oniro, Barcelona 2003.)

Paz y buena compañía

p. 77: Dalai Lama, del prólogo al libro de Thich Nhat Hanh *Ich pflanze ein Lächeln. Der Weg der Achtsamkeit*, Munich 1992.

p. 96: Werner Herren, «Den inneren Frieden finden bei Konflikten», *Arbeitsblatt*, Aarau 1997.

Reinhard Brunner, *Hörst du die Stille? Meditative Übungen mit Kindern*, Munich 1991[1], 2001[2].

David Carroll, *Laßt die Kinderseele wachsen. Ein Elternbuch der spirituellen Erziehung*, Friburgo 2000.

Sylvia Lendner-Fischer, *Bewegte Stille. Wie Kinder ihre Lebendigkeit ausdrücken und zur Ruhe finden*, Munich 1997. (Edición española: *Niños vitales, niños sosegados*, Oniro, Barcelona, 2002.)

Gerda y Rüdiger Maschwitz, *Stille-Übungen mit Kindern. Ein Praxisbuch*, Munich 1998.

Else Müller, *Träumen auf der Mondschaukel. Autogenes Training mit Märchen und Gute-Nacht-Geschichten*, Munich 1993.

Marshall Rosenberg, *Gewaltfreie Kommunikation. Aufrichtig und einfühlsam miteinander sprechen*, Paderborn 2001.

Beate Schaller, *Unsere Welt ist voller Wunder. Mit Stilleübungen durch das Kindergarten-Jahr*, Munich 2000.

El amor

p. 100: Rudolf Steiner, *Ritualtexte für die Feiern des freien christlichen Religionsunterrrichts und das Sprachgut für Lehrer und Schüler der Waldorfschule*, Donarch 1997.

p. 102: Günther Lazik, «Ohne Liebe ist alles hohl und leer», en http://mitglied.lycos.de/zitatenschatz/liebe.htm, 11 de diciembre de 2002.

p. 110: Khalil Gibran, *Der Prophet*, Friburgo 2002.

Sam McBratney y Anita Jeram, *Weißt du eigentlich, wie lieb ich dich hab?*, Francfort del Main 1994

Susanne Stöcklin-Meier, *Naturspielzeug*, Zurich 2001 y Ravensburg 2000.

Katharina Zimmer, *Widerstandsfähig und selbstbewusst. Kinder stark machen fürs Leben*, Munich 2002.

La no violencia

p. 123: Thich Nhat Hanh, *Zeiten der Achtsamkeit*, Friburgo 1999.

p. 127: Hein Retter, *Spielzeugkauf*, Memmelsdorf (agotado).

p. 127: Hein Retter, *Antifernsehfibel*, Memmelsdorf 1981 (agotado).

p. 134: Jörg Jegge, *Dummheit ist lernbar: Erfahrungen mit Schulversagern*, Gümlingen 1994.

p. 140: Maria Brühlmeier-Baumgartner para la sugerencia del juego de la papelera, Kaiserstuhl (Suiza).

Heike Baum, *Ich will aber jetzt! Vom Umgang mit Frust, Ungeduld und Trotz*, Munich 2003. (Edición española: *¡Lo quiero ahora! Cómo tratar la impaciencia, la frustración y las rabietas*, Oniro, Barcelona 2004.)

—, *Mama, der ärgert mich immer! Über Streit und Eifersucht unter Geschwistern*,

Munich 2003. (Edición española: *¡Mamá, siempre me está molestando! Cómo tratar los celos y las peleas entre hermanos*, Oniro, Barcelona 2004.)
Hans Jürgen Palme, *Computern im Kindergarten*, Munich 1999.

Lunes: el día de la Luna
Gertrud Ennulat, *Ängste im Kindergarten. Ein Praxisbuch für Erzieherinnen und Eltern*, Munich 2001.
Heike Löffel y Christa Manske, *Ein Dino zeigt Gefühle*, Bonn 2001.
Michal Snunit, *Der Seelenvogel*, 1991.

Martes: el día de Marte
Heike Baum, *Da bin ich fast geplatzt! Vom Umgang mit Wut und Aggression*, Munich 2002. (Edición española: *¡Estoy furioso! Cómo tratar la cólera y la agresividad*, Oniro, Barcelona 2003.)
Johanna Friedl, *Pi-Pa-Purzelbaum. Spielerische Bewegungsförderung für Kinder*, Munich 2001.
Verena Sommerfeld, *Toben, raufen, Kräfte messen. Ideen, Konzepte und viele Spiele zum Umgang mit Aggressionen*, Münster 1999.

Miércoles: el día de Mercurio
Susanne Stöcklin-Meier, *Verse, Sprüche und Reime für Kinder*, Zurich 2003.
—, *Spielen und Sprechen*, Zurich 2002, y el mismo libro en edición alemana: *Sprechen und Spielen*, Ravensburg 2000.

Jueves: el día de Júpiter
p. 179: Hein Retter, «Spiel und Spielzeug auf der Schwelle eines neuen Zeitalters», conferencia ante el International Council for Children's Play, Erfurt 2001.
p. 180: Spiel gut (recop.), *Das Spielzeugbuch*, Ulm 2002.
p. 180: Heinz Stephan Herzka, *Das Kind von der Geburt bis zur Schule. Bilderatlas und Texte zur Entwicklung des Kindes*, Basilea 2001.
p. 184: «Spielzeugfreier Kindergarten», en http://www.spielzeug-freier-kindergarten.de/html y http://kg.edubs.ch/kg/htmlmenu.html?-spielzeugfreier.html&1, 21 de enero de 2003.

p. 184: Gudula Brunner para el concepto de la reducción del consumo de juguetes comerciales, Städtischer Kindergarten, Am Hochstand 26 (Landeshauptstadt München Schul- und Kultusreferat), Munich 2001.

p. 185: «Waldkindergarten», en http://www.waldkindergarten.de/kiga.html, 21 de enero de 2003.

Andrea Braun, *Müssen Kinder wirklich alles haben? Wege aus der Konsumspirale*, Munich 2002.

—, *Weniger ist oft mehr. Wie vir mit kindlichem Konsum umgehen und Suchtgefahren vorbeugen können*, Kömen, Munich 1998.

Albert Wunsch, *Die Verwöhnungsfalle: Für eine Erziehung zu mehr Eigenverantwortlichkeit*, Munich 2000.

Viernes: el día de Venus

p. 191: Inge Reiner, «Spielen mit Steinen», *Kindergarten-Archiv*, Munich 2002.

Reinhard Brunner, *Hörst du die Stille? Meditative Übungen mit Kindern*, Munich 1991[1], 2001[2].

Chris Pellant, *Tessloffs erstes Buch der Fossilien, Steine und Mineralien*, Nuremberg 2002.

Susanne Meier-Stöcklin, *Naturspielzeug*, op. cit. (véase en «Amor»).

Heidi Velten y Bruno Walter, *Harmonische Kindermassage. So fördern Sie das Wohlbefinden Ihres Kindes*, Munich 2000.

Sábado: el día de Saturno

p. 203: Exposición «Rudi Seitz: Ein Leben für die Phantasie», Pasinger Fabrik, Munich 2002.

Heike Baum, *Ich will aber jetzt! Vom Umgang mit Frust, Ungeduld und Trotz*, Munich 2003. (Edición española: *¡Lo quiero ahora! Cómo tratar la impaciencia, la frustración y las rabietas*, Oniro, Barcelona 2004.)

—, *Ist Oma jezt im Himmel? Vom Umgang mit Tod und Traurigkeit*, Munich 2002. (Edición española: *¿Está la abuelita en el cielo? Cómo tratar la muerte y la tristeza*, Oniro, Barcelona 2003.)

Rudolf Seitz, *Phantasie und Kreativität. Ein Spiel-, Nachdenk- und Anregungsbuch*, Munich 2001.

Gisela Walter, *Lirum Larum Löffelspiel. Lustige Spiele beim Putzen, Kochen und Einkaufen*, Munich 2003.

Domingo: el día del Sol

p. 212: Susanne Stöcklin-Meier, *Ein Fest zum Geburtstag*, Zurich 2002.

Mira Lobe, *Das kleine Ich bin ich*, Viena 1972.

Rainer Oberthür, *Die Seele ist eine Sonne. Was Kinder über Gott und die Welt wissen*, Munich 2000.

Susanne Stöcklin-Meier, *Unsere Welt ist bunt!*, Munich 2001.

Gisela Walter, *Ich und die anderen. Kinder werden selbstbewußt und tolerant*, Friburgo 1999.

Educamos hoy para el mañana

p. 213: Eleonore Höchtlen, «Unser Konzept», Landeshauptstadt München Schul- und Kultusreferat, Munich 2000.

p. 213: Ruth Mayer, «Qualitätssicherung und Qualitätsentwicklung», Landeshauptstadt München Schul- und Kultusreferat, Munich 2003.

p. 226: Inge Reiner, «Qualität für Kinder, Interkulturelle Pädagogik», Landeshauptstadt München Schul- und Kultusreferat, Munich 2000.

p. 227: Contando 1, 2, 3 en http://www.blinde-kuh.de/sprachen/zählen1-10.html, 12 de noviembre de 2002.

Heike Baum, colección «Emotionale Erziehung», Munich. (Edición española: colección «Educación emocional», 8 volúmenes publicados por Oniro, Barcelona, entre abril de 2003 y octubre de 2004.)

Barbara Huber-Rudolf, *Muslimische Kinder im Kindergarten. Eine Praxishilfe für alltägliche Begegnungen*, Munich 2002.

Elke Montanari, *Mit zwei Sprachen groß werden. Mehrsprachige Erziehung in Familie, Kindergarten und Schule*, Munich 2002.

Seyffert, Sabine, *Kleine Mädchen, starke Mädchen. Spiele und Phantasiereisen, die mutig und selbstbewusst machen*, Munich 1997.

EL NIÑO Y SU MUNDO

Títulos publicados:

EDUCAR NIÑOS FELICES Y OBEDIENTES CON DISCIPLINA POSITIVA
Estrategias para una paternidad responsable
VIRGINIA K. STOWE

240 páginas
Formato: 15,2 x 23 cm
El niño y su mundo 10

NORMAS EDUCATIVAS PARA PADRES RESPONSABLES
NAN SILVER

256 páginas
Formato: 15,2 x 23 cm
El niño y su mundo 27

MANUAL PARA PADRES
¡Socorro! Qué hacer cuando tu hijo de 2 a 5 años tiene rabietas, muerde a sus amiguitos, interrumpe las conversaciones, dice palabrotas, etc.
GAIL REICHLIN Y CAROLINE WINKLER

320 páginas
Formato: 15,2 x 23 cm
El niño y su mundo 39

GUÍA DE SUPERVIVENCIA PARA LAS MADRES MODERNAS
Un manual poco convencional sobre las venturas y desventuras de educar a la generación del nuevo milenio
ARIEL GORE

256 páginas
Formato: 19,5 x 24,5 cm
Libros singulares

SUPERPAPÁ
Cientos de sugerencias para sorprender a tus hijos y conectar con ellos
GIOVANNI LIVERA Y KEN PREUSS

192 páginas
Formato: 15,2 x 23 cm
El niño y su mundo 55

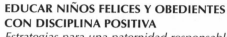

NIÑOS FELICES
Cómo conseguir que su hijo crezca sano y feliz
MICHAEL GROSE

192 páginas
Formato: 15,2 x 23 cm
El niño y su mundo 17

EL MUNDO EMOCIONAL DEL NIÑO
Comprender su lenguaje, sus risas
y sus penas
ISABELLE FILLIOZAT

224 páginas
Formato: 15,2 x 23 cm
El niño y su mundo 26

LA INTELIGENCIA EMOCIONAL
DE LOS NIÑOS
Claves para abrir el corazón y la mente
de tu hijo
WILL GLENNON

160 páginas
Formato: 15,2 x 23 cm
El niño y su mundo 34

CÓMO AYUDAR A LOS NIÑOS A AFRONTAR
LA PÉRDIDA DE UN SER QUERIDO
Un manual para adultos
WILLIAM C. KROEN

120 páginas
Formato: 18,5 x 23,5 cm
Libros singulares

CÓMO EXPLICAR EL DIVORCIO
A LOS NIÑOS
Un manual para adultos
ROBERTA BEYER Y KENT WINCHESTER

120 páginas
Formato: 18,5 x 23,5 cm
Libros singulares

YOGA PARA NIÑOS
Ejercicios y técnicas que ayudarán a tu hijo a alcanzar la armonía física y mental
STELLA WELLER

132 páginas
Formato: 19,5 x 24,5 cm
Manuales para la salud 10

EL SENDERO PACÍFICO
Guía de las artes marciales para niños
CLAUDIO IEDWAB Y ROXANNE STANDEFER

120 páginas
Formato: 18,5 x 23,5 cm
Vida plena 7

GIMNASIA DIVERTIDA
PARA NIÑOS
Estimula a tu hijo mediante ejercicios y juegos con movimiento
PETER WALKER

96 páginas
Formato: 17 x 25 cm
Libros ilustrados

JUEGOS PARA FOMENTAR LA ACTIVIDAD
FÍSICA EN LOS NIÑOS
Deportes, fitness, danza, ejercicios...
JULIA E. SWEET

240 páginas
Formato: 19,5 x 24,5 cm
El niño y su mundo 48

QIGONG PARA NIÑOS
Ejercicios sencillos y técnicas respiratorias para mantener a los niños en óptimo estado de salud
DOMINIQUE FERRARO

144 páginas
Formato: 18,5 x 23,5 cm
Vida plena 10

CÓMO CONTAR CUENTOS A LOS NIÑOS
*Relatos y actividades para estimular
la creatividad e inculcar valores éticos*
REBECCA ISBELL Y SHIRLEY C. RAINES

192 páginas
Formato: 19,5 x 24,5 cm
El niño y su mundo 16

EL ARTE DE CONTAR CUENTOS A LOS NIÑOS
*16 cuentos con consejos y actividades
para deleitar a los más pequeños*
REBECCA ISBELL Y SHIRLEY C. RAINES

192 páginas
Formato: 19,5 x 24,5 cm
El niño y su mundo 32

CUENTOS QUE AYUDAN A LOS NIÑOS
A SUPERAR SUS MIEDOS
ILONKA BREITMEIER

192 páginas
Formato: 15,2 x 23 cm
El niño y su mundo 45

CUENTOS PARA CONTAR
A TU HIJO CUANDO ESTÁ ENFERMO
NICOLE ZIJNEN

128 páginas
Formato: 15,2 x 23 cm
El niño y su mundo 50

HOY LLUVIA, MAÑANA SOL
*Cuentos para estimular la fantasía
de los niños*
SABINE SEYFFERT

128 páginas
Formato: 15,2 x 23 cm
El niño y su mundo 53

Títulos publicados:

1. **Islas de relajación** – Andrea Erkert
2. **Niños que se quieren a sí mismos** – Andrea Erkert
3. **Jugando con almohadas** – Annette Breucker
4. **Juegos y ejercicios para estimular la psicomotricidad** – Bettina Ried
5. **Las religiones explicadas a los niños** – Daniela Both y Bela Bingel
6. **Aprender a estudiar** – Ursula Rücker-Vennemann
7. **El Islam explicado a los niños** – Sybille Günther
8. **Juegos y experimentos con el color, la luz y la sombra** – Monika Krumbach
9. **Dime dónde crece la pimienta** – Miriam Schultze
10. **Jugando con fantasmas** – Günther W. Kienitz y Bettina Grabis